NOM D'UNE BOBINETTE

BOBINETTE

50 ANS DÉJÀ

Distribution pour le Canada:

QUÉBEC·LIVRES
QUEBECOR MEDIA

2185, autoroute des Laurentides
Laval (Québec) H7S 1Z6
Téléphone: (450) 687-1210
Télécopieur: (450) 687-1331

CHRISTINE LAMER

NOM D'UNE BOBINETTE

50 ANS DÉJÀ

[handwritten dedication:] À Pierre Moreau
En souvenir de cette chère
Bobinette et des autres...
Bonne lecture
Votre Christine

LES ÉDITIONS
PUBLISTAR
QUEBECOR MEDIA

LES ÉDITIONS PUBLISTAR
Une division des Éditions TVA inc.

7, chemin Bates
Outremont (Québec) H2V 4V7

Directrice des éditions:	Annie Tonneau
Direction artistique:	Benoît Sauriol
Révision:	Corinne De Vailly, Paul Lafrance, Luce Langlois
Infographie:	Roger Des Roches – SÉRIFSANSÉRIF
Couverture:	Michel Denommée
Photo de la couverture:	Pierre Dionne
Coiffure:	Yves Pednault
Maquillage:	Nancy Ferlatte
Stylisme:	France L'Heureux
Photos de l'intérieur:	Collection de Christine Lamer

Nous reconnaissons l'aide financière du gouvernement du Canada par l'entremise du Programme d'aide au développement de l'industrie de l'édition (PADIÉ) pour nos activités d'édition.

Gouvernement du Québec — Programme de crédit d'impôt pour l'édition de livres — Gestion SODEC.

Remerciements

Je tiens à remercier plusieurs personnes qui ont collaboré à la naissance de ce livre. Au générique, et pas nécessairement par ordre alphabétique:

La pétillante Annie Tonneau, l'étincelle magique qui a semé en moi il y a plus de quatre ans cette drôle d'idée d'écrire quelques chapitres de ma vie. Merci petite lumière!

Claude Leclerc, mon ange, directeur des mots s'échappant de ma plume. Tu étais déjà à mes côtés lorsque j'ai tâté du crayon en signant la chronique *Le 7ᵉ sens* dans le magazine *7 Jours*, il y a quelques années. Quelles belles retrouvailles, dis donc! Merci cher mentor!

L'homme de ma vie, Denys Bergeron, mon lecteur avisé et réfléchi, mon tendre amour. Je sais, tu es parfait! Alors que dire d'autre que ces doux mots: je t'aime. Merci mon lapin d'amour!

La fille de ma vie, Martine Bergeron, ma lectrice attentionnée. Je te chouchoute depuis mes entrailles jusqu'à toujours! Merci ma Doudou!

Mes parents chéris, Cécile Corbeil et Marcel Laplante, mes deux grands cœurs d'amour. Vous m'avez soufflé les premières pages et un ouragan de souvenirs a secoué mon album de vie. Je vous aime tant! Merci d'avoir toujours été à mes côtés!

[7]

Maman Yvonne Bergeron, ma douce et belle maman. Je connais votre fils depuis maintenant 30 ans, mais avouez que c'est plutôt unique de vous connaître depuis 45 ans! Merci d'être si près de moi!

À mes petites chéries, mes sœurs, mes amies, et mes petits chéris, mes frères et mes amis. Vous êtes chacun, à votre façon, une étoile qui illumine mon cœur.

À l'ami écrivain Denis Monette, le sage conseiller. Dans ma quête d'un titre pour coiffer la couverture, j'ai suivi tes précieux conseils en laissant parler mon cœur. Je t'en remercie.

Je remercie du fond du cœur d'être passés dans ma vie tous ceux qui se reconnaîtront au détour d'une page.

À l'auteur Michel Cailloux, le papa de Bobinette, un immense merci de m'accorder l'utilisation d'une expression que j'ai dite ô combien de fois! Nom d'une Bobinette!

À Jean-Pierre Ferland, l'ami de Bobinette. Du *Petit roi* à *Mon ami J.C.,* tu as aussi composé une petite douceur à ton amie Bobinette. Un gros merci de me permettre d'en reproduire les touchantes paroles dans mon bouquin. Une chance qu'on t'a!

Enfin, je vous remercie, chers lecteurs et lectrices. J'espère croiser un jour votre chemin pour vous connaître à mon tour. Chaque vie est un trésor fabuleux!

Ce livre est dédié aux amours de ma vie,
Denys et Martine.

«Le bonheur ce n'est pas un rêve
mais une richesse qu'on porte en soi.»

ALICE PARIZEAU

Avant-propos

«**M**adame Lamer! On ne vous voit plus à la télévision! Qu'est-ce que vous faites depuis *Les Christine*? Avez-vous pris votre retraite?»

Je me retourne; derrière moi se tient une jolie dame, aux cheveux argentés, vêtue d'un tailleur gris où un délicat bijou ancien retient l'attention.

«Bonjour, madame. Non, pour moi retraite rime avec oubliettes! Même si on ne me voit pas pour le moment à la télévision, j'ai beaucoup de plaisir à jouer sur scène en saison estivale. Depuis le rôle de Bobinette, il s'en est passé des choses!»

Dans le magasin à un dollar, on se bouscule à la caisse. Je laisse passer la dame qui a les bras chargés d'articles variés.

«Merci madame Lamer! Je vous ai toujours suivie dans vos rôles. Vous nous manquez ces temps-ci. On voit toujours les mêmes figures à l'écran...

– On disait sûrement la même chose lorsque je cumulais deux et trois rôles en même temps. La popularité est éphémère, alors les artistes s'accrochent à la chance lorsqu'elle passe. C'est normal. Le vent soufflera à nouveau en ma faveur un jour!»

[11]

La dame sort une jolie pochette brodée de son sac à main et y plonge deux doigts pour en sortir un billet. La caissière lui remet sa monnaie et avant de la quitter, je lui dis:

«Je vous remercie beaucoup pour les compliments. En passant, vous avez là un très joli bijou, il me rappelle une broche que ma grand-mère portait jadis.»

Je paie à mon tour mes babioles à un dollar et je quitte le centre commercial en repensant à ma conversation avec la dame en gris. Les souvenirs se bousculent dans ma mémoire; ma gorge se noue chaque fois qu'on me parle de Bobinette surtout et bien sûr des autres rôles que j'ai tenus au petit écran. Le 50e anniversaire de Radio-Canada me replonge dans le passé pourtant si récent. L'année 2003 marque ma 30e année dans le métier et accueille mes premiers pas dans ma 50e année de vie.

Je m'arrête sur le trottoir. L'air chaud de septembre m'enveloppe comme le font tous mes souvenirs, et je souris. La vie est si belle, si douce, si bonne pour moi.

Depuis ma naissance, je dévore chaque instant goulûment, j'embrasse la chance qui s'est accrochée à mes pas et je souris. Dieu que ce sourire a pourtant été difficile à poindre! Je refoule encore des brindilles de timidité éparpillées à l'intérieur de ma tête. C'est fou ce que cette folle-là m'a torturée! Aujourd'hui encore, la vilaine refait surface ponctuellement pour me narguer. Ah, la démone! Ce sera toujours un constant duel entre toi et moi! Je ferme les yeux et je prends une profonde respiration. Ce rituel me sauve lorsque les émotions cognent à la porte du cœur. Une bonne respiration contrôle généralement ma nervosité et mon trac.

Lorsque mes robinets se dévissent au mauvais moment, je me pince l'intérieur des joues. Je suis une braillarde naturelle, une pleurnicharde timide. Au fil des ans, j'ai pourtant essayé de raisonner, de contrôler, d'ignorer même ce Niagara involontaire qui me submerge à l'occasion. Je vous le dis madame, rien à faire!

J'ouvre les yeux et je me rends compte que je suis en retard à un rendez-vous chez le coiffeur. Moi, la ponctuelle. Décidément, je m'encroûte! Je prends machinalement mon téléphone cellulaire et j'appuie nerveusement sur le clavier. Que faisait-on à l'époque sans ce petit bidule?

«Oui, allô, c'est moi. Je serai légèrement en retard, je m'excuse… Non, rien de grave, je me suis simplement arrêtée quelques instants sur ma vie…»

Chapitre 1

Marguerite, Euchère, Albina, Napoléon et les autres

> *«Les choses viennent à leur place,*
> *tu vois comme c'est merveilleux?*
> *L'ombre de l'arbre qui grandit déjà prépare la fraîcheur*
> *pour d'autres pousses qui germent!»*
>
> JACQUES FOLCH-RIBAS

J'ouvre souvent mon coffre à trésors où sommeillent de brillants souvenirs. J'aime regarder et toucher les petites pierres portées jadis par ma grand-mère maternelle, Marguerite Corbeil, née Beaulne. Ce qu'elle pouvait être élégante, notre Marguerite! Elle portait un soin jaloux aux moindres détails tant pour son hygiène personnelle que sa garde-robe et ses bijoux. Je la revois, enfilant avec peine le lourd corset qui emprisonnait son ventre gonflé par les grossesses. Et elle me manque. Elle me manque comme tous ceux et celles qui ne sont plus près de nous. Les albums photos débordent de souvenirs. Les naissances, les voyages, les anniversaires, les années filent entre nos doigts comme l'eau dans une passoire. Il ne reste que quelques vieux bijoux, des images jaunies fixées pour l'éternité et ceux dont le cœur bat encore pour nous rappeler…

«Maman chérie, parle-moi de tes grands-parents et de tes parents!»

Ma grand-mère, Marguerite Beaulne, naît à Montréal le 4 octobre 1903. Ses parents, Emma Sauvé et Adélard Beaulne, ont six enfants: Jos, Marguerite, Albert, Armand, Bernadette et Alice.

Grand-père Adélard est beau garçon, plutôt frondeur et d'une misogynie peu commune. Il s'amuse à faire marcher les filles qui s'accrochent à ses pas et il aurait eu l'audace suprême de se fiancer à l'une d'elles sans jamais avoir l'intention de l'épouser. Emma, comme toutes les autres, soupire près de la clôture en voyant le bel Adélard déambuler sur le trottoir, ignorant la faune féminine qui se pâme pour lui. Mais, un beau samedi matin, Adélard choisit l'élue de son cœur, c'est la jeune Emma Sauvé. Adélard a fière allure en haut-de-forme et queue-de-pie, et affichant une barbichette méticuleusement taillée.

On recherche sa compagnie et, du coup, son opinion sur divers sujets. Il comble son manque d'instruction par des lectures qu'il interdira à ses propres filles. La malheureuse Emma ne peut le suivre, faute de vêtements appropriés. Elle demeure soumise, à la maison, à élever ses enfants. Autant les garçons peuvent sortir et faire ce qui leur plaît, autant les filles sont confinées sous le toit familial, à commencer par l'aînée des filles, Marguerite. Elle ne peut ni lire ni aller au cinéma et encore moins travailler à l'extérieur comme sa tante Clémence, la vieille fille.

La sœur d'Emma est couturière chez Holt Renfrew. À l'époque, on catalogue rapidement les jeunes filles un peu trop émancipées, et les qualificatifs de traînée et de perdue résonnent dans le discours paternel.

Marguerite grandit dans la crainte et l'angoisse d'un père plus que sévère. Elle en vient même à haïr ce père autoritaire et injuste. Un jour pourtant, Marguerite fait preuve d'audace et affronte son paternel:

«Écoutez son père, maman est fatiguée avec toute la corvée. Elle s'acharne sur le moulin à lessive à coups de poing sur le tordeur. Cou' donc, est-ce qu'il va falloir que maman crève pour changer le vieux moulin?»

Elle risque la gifle et une série de punitions. Adélard regarde sa fille et lui lance un «tais-toi ma fille» sec et sans réplique.

N'empêche que l'antiquité est remplacée par une lessiveuse neuve!

Les frères de Marguerite, Albert et Armand, se moquent d'elle constamment. Devant leurs remarques blessantes concernant sa poitrine, elle se bande les seins d'un torchon. Si Marguerite est morose et silencieuse, ils crient très fort à qui veut les entendre:

«Marguerite est dans ses crottes! Marguerite est dans ses cro-o-o-ttes!»

Ô insulte suprême! Le mot menstruation est tabou, et on utilise d'autres termes tels que être indisposée, malade, avoir ses périodes, ses règles ou le plus humiliant, être dans ses crottes. La corde à linge devient la commère du quartier lorsque s'alignent sur le fil les bouts de tissu qui servent de linge sanitaire. S'ils disparaissent le mois suivant, on sait que la voisine est «repartie pour la famille!»

Adélard est à l'emploi des sœurs de la Miséricorde, rue Dorchester, comme menuisier et homme à tout faire. L'hôpital de la Miséricorde accueille les filles-mères qui viennent d'un bout à l'autre de la province. Adélard et Emma habitent juste à côté de la communauté, et la cuisine communique directement avec la bâtisse des religieuses. Il est fréquent qu'une fille-mère veuille s'enfuir avec son bébé, qu'elle doit donner en adoption, en passant par la cuisine d'Emma.

«Madame Beaulne, s'il vous plaît, laissez-moi passer, laissez-moi sortir d'ici!» supplie alors la malheureuse maman en serrant son nouveau-né dans ses bras.

Les scènes déchirantes sont parfois bien difficiles à vivre pour Emma, mais les consignes de la maison d'accueil sont très claires: «Madame Beaulne, on ne laisse passer personne.» C'est sans doute pour cette raison que papa Adélard est si sévère envers ses propres filles. La détresse de toutes ces jeunes mamans qui abandonnent leurs petits parce qu'elles n'ont pas d'autres choix fait extrêmement pitié. Et Dieu sait qu'elles seront nombreuses pendant des dizaines d'années à franchir les portes de l'établissement, la tête basse et le ventre gonflé d'une grossesse non désirée.

La Supérieure, d'origine irlandaise, s'appelle sœur Béatrice. Elle dirige la communauté depuis plusieurs années. Sous le costume noir et la cornette pointant vers le Très-Haut se cache un cœur généreux qui a beaucoup d'estime pour l'homme à tout faire, Adélard Beaulne. Celui-ci est très dévoué envers ses chères sœurs et met tout son cœur et tout son métier d'ébéniste au service de leurs moindres exigences. Sœur Béatrice l'entraîne un jour à Chicago dans le but de reproduire un meuble construit spécialement pour remiser les chasubles des prêtres. Les tiroirs pivotent de telle sorte que les vêtements sacerdotaux ne se froissent pas. Adélard reproduit l'ingénieuse mécanique de bois, sans l'aide de plans, uniquement de mémoire, en se rappelant les rouages du meuble américain.

Autant l'ameublement de la communauté a fière allure, autant celui de la maison pique du nez! Un fauteuil en particulier aurait eu besoin d'un coup de jeunesse, mais les outils servent au rafistolage du couvent et les bras de l'ouvrier revenu à la maison se consacrent à la prière. Adélard et le bon

Dieu sont intimement liés. Les crucifix, le Sacré-Cœur, l'huile de saint Joseph et les chapelets sont omniprésents au royaume d'Adélard.

Dans les années 20, les sœurs de la Miséricorde se portent acquéreurs d'un terrain longeant la rivière des Prairies, à Cartierville, pour y construire leur maison mère. Elles achètent cet endroit magnifique à un millionnaire qui y avait fait construire son château avec ses dépendances, une maison pour les serviteurs et une autre toute ronde qui servait de salle de jeux. Un incendie avait rasé le château, mais la maison au bord de l'eau était restée intacte. L'original maître des lieux avait fait peindre, au plafond de la maison ronde, un firmament bleuté pailleté d'étoiles scintillantes qui s'allumaient le soir venu. Les religieuses érigent donc leur résidence à l'emplacement du château et conservent l'adorable maison ronde que la famille d'Adélard peut occuper durant l'été. Emma se fait une joie de quitter la ville pour s'établir à la campagne, à Cartierville, avec ses enfants. Aujourd'hui, on doit quand même faire quelques kilomètres de plus pour apprécier l'humus campagnard.

Marguerite et Euchère

C'est à Cartierville que Marguerite fait la connaissance de son futur époux, Euchère Corbeil. Le bel Euchère grandit dans ce lieu entouré de son frère et de ses sœurs, Albert, Avila, Albertine, Laure et Espérance. Son père, Michel, possède le moulin à scie tout près du pont qui enjambe la rivière des Prairies. Sur la rive sud du cours d'eau se trouve Cartierville, et au nord, l'île Jésus. On surnomme cet endroit «L'Abord-à-Plouffe» puisqu'un dénommé Plouffe habitait autrefois en face, sur la rive nord. Quelques années plus tard, le moulin de

Cartierville sera détruit et fera place à un marchand de bateaux. Juste à côté, on construira le célèbre Parc Belmont.

Euchère porte avec fierté son costume et sa casquette de chauffeur de tramway. Un jour, il prend à son bord une jolie fille aux yeux bleus et à la chevelure brune, parsemée de reflets roux. Elle s'appelle Marguerite Beaulne et durant l'été elle habite la maison ronde tout à côté de la nouvelle bâtisse des sœurs de la Miséricorde. Après les fréquentations d'usage, et surtout après avoir reçu la bénédiction d'Adélard, Marguerite et Euchère se marient et s'installent, comme locataires, dans le quartier Villeray.

Marguerite s'ennuie beaucoup pendant que son Euchère travaille tous les soirs dans son tramway. Elle lui demande de laisser le tram pour un travail de jour. C'est ainsi qu'Euchère troque sa casquette de chauffeur de tramway pour celle de chauffeur de taxi.

Marguerite accouche successivement de quatre enfants à la maison. Le docteur Decotret aide grand-mère, assisté de son Euchère. Celle-ci accouche comme une petite chatte; la première, Cécile, ma maman, arrive après quatre heures d'efforts, et les trois autres, Roger, Michel et André, viennent au monde le temps de dire ouf!

Les temps sont durs, et Euchère se démène avec son taxi pour réussir à faire vivre sa famille, qui déménage tous les ans en essayant de trouver un loyer abordable. La santé d'Euchère est fragile. Un jour, il tombe dans un coma diabétique; les médecins doivent modifier sa dose d'insuline et son régime alimentaire. Au début des années 50, les traitements à l'insuline ne sont pas encore au point, et on est loin de l'auto-administration, des appareils sophistiqués et des prises de sang quotidiennes.

Les médecins obligent Euchère à prendre du poids. Mais peine perdue, la santé de grand-père diminue de jour en jour.

Il s'éteint à 53 ans, le lendemain de Noël 1955, tout doucement chez nous à Laval-des-Rapides, dans la nouvelle maison que mes parents viennent d'acheter. Il est si fier de sa fille
Cécile et de son gendre Marcel. Ils possèdent une maison
bien à eux. Euchère aurait tellement aimé en avoir une bien à
lui et à sa Marguerite!

Je n'aurai malheureusement pas la chance de le connaître
autant que Marguerite, puisque je n'ai que deux ans lorsque
mon grand-père Corbeil tire sa révérence. Mais aux dires de
maman, sa fille Cécile, Euchère était un homme d'une grande
douceur, un père aimant et un mari aux petits oignons pour sa
femme, Marguerite. Il n'était pas rare de le voir arriver les
bras chargés de victuailles. Euchère et Marguerite aimaient
recevoir la famille dans leur petit logement. Mais si la visite
veillait au salon après 22 h, Euchère disait d'un air coquin en
fixant sa montre: «Moi, si j'étais ailleurs, j'partirais!»

«Papa chéri, parle-moi de tes parents!»

Napoléon Laplante, dit «Polion», naît le 14 novembre 1889
à Hébertville Station, au Lac-Saint-Jean. Lorsqu'il est en
âge de joindre les troupes canadiennes en 1914, il préfère se
déguiser en vieux et se retrouve à Vancouver. Pour éviter la
conscription, les déserteurs québécois se réfugient alors au
fond des bois ou ailleurs, eux qui ont voté à plus de 50 %
contre l'enrôlement, au contraire des anglophones du reste du
Canada. Lorsque les canons se taisent, les blessés reviennent
au pays, Napoléon sort de sa clandestinité et devient professeur à Saint-Georges-de-Beauce, puis à Pierreville où il rencontre Albina Crevier.

Albina vit à Saint-François-du-Lac, sur l'autre rive de la
rivière Saint-François, à l'ouest de Pierreville. Malgré leurs

10 ans d'écart, ils unissent leur destinée et s'installent à Saint-Joseph-de-Sorel. Polion tient une épicerie, mais pour une histoire de «char de sucre», un certain Cyrille Labelle lui fait perdre son commerce. Napoléon déclare faillite. Comme un malheur n'arrive jamais seul, les jeunes époux vivent un drame épouvantable lorsque leur premier enfant, Agathe, succombe d'une pleurésie à sept mois.

Mais heureusement pour eux, le vent tourne et la famille s'agrandit au rythme recommandé par l'Église, un marmot chaque année. Ils sont, cette fois, tous en bonne santé en commençant par Monique, suivie de Jean, Henriette, Marcel (mon papa), Louise, Gaby, Étienne, Gisèle, Odette et Jacques. Napoléon assure le revenu familial en combinant l'emploi de maître de chapelle et de maître des postes de Saint-Joseph, et plus tard de secrétaire de la commission scolaire. Ils vivent à loyer rue Montcalm qui deviendra plus tard le chemin Saint-Rock. Au-dessus du bureau de poste, Napoléon offre à la population des cours de sténodactylo et de comptabilité et son école devient, par la force des choses, le bureau de placement des entreprises de la région. Il est fréquent qu'un membre du clan Simard de Sorel ait besoin des services d'une bonne secrétaire formée chez Polion. À cette époque, le taux d'analphabétisme est très élevé, et l'on se confie souvent à la plume de Polion: «Polion, j'voudrais dire qu'qu'chose à qu'qu'un!»

En 1933, la famille Laplante s'établit de façon permanente sur le chemin Saint-Rock où Napoléon construit la maison que nous connaîtrons, nous ses petits-enfants. Les activités de la vie quotidienne sont réglées comme une horloge, et Albina n'y déroge sous aucune considération.

Le lundi et le mardi sont jours de lessive, et on étend le linge sur deux cordes à l'extérieur, été comme hiver. Les vêtements et les draps dégagent une bonne odeur typique de fraîcheur, alors que les tissus raidis par le froid détendent leurs fibres sous l'action de la chaleur de la maisonnée.

Mercredi est jour de reprisage et de repassage. Le jeudi est consacré à la couture, au tricot. Un ouvrage occupe toujours le métier à tisser en saison hivernale, tandis que l'été les mains habiles tricotent plutôt le potager.

Vendredi fait place au ménage et au bain pour tout le monde. Samedi matin, Albina en profite pour faire ses courses en compagnie de son petit Marcel.

Il apprend très tôt l'art du magasinage, si bien qu'à ce jour papa adore toujours les courses. Il est champion pour trouver la robe parfaite pour maman ou bien le cantaloup divinement parfumé. L'acheteur avisé se vante d'ailleurs couramment des rabais qu'il a dénichés.

Combien de fois papa a expliqué l'escompte extraordinaire sur un sac de café en grains qu'il achète chez Costco ou sur les boîtes de conserves deux pour un dans tel supermarché! Il épargne à coup sûr sur la facture d'épicerie, mais la jauge d'essence en prend pour son rhume…

Le dimanche est jour du Seigneur, et Albina unit sa belle voix à celle de son époux dans le jubé de l'église. On profite de ce jour de repos pour aller se baigner à la Pointe-aux-Pins (cette magnifique plage a disparu pour faire place à une industrie polluante, la Sidbec).

C'est en somme le train-train quotidien de la famille élevée dans la quiétude rurale de l'entre-deux-guerres. Le laitier livre le délicieux lait non homogénéisé où flotte la précieuse crème. Le boulanger distribue sa fournée matinale. Le livreur de glace dépose les blocs taillés au godendart à même le fleuve avant la débâcle. Mais Albina aura bientôt son réfrigérateur électrique, bien avant la cuisinière. Elle cuisine sur le poêle à bois deux gros repas par jour, avec dessert et crème glacée maison.

Entassés trois par lit, on finit par se réchauffer, car la grosse tortue qui fait office de chauffage central ne suffit pas à souffler la chaleur jusqu'à l'étage. Une seule et unique trappe de chaleur occupe le rez-de-chaussée et distribue comme elle le peut les efforts calorifiques de la chaudière.

D'ailleurs la chaleur filtrant par cette grille de métal sera très utile lorsque les semis de tomates seront installés à proximité du courant chaud. Chaque 19 mars que le bon Dieu amène, à la Saint-Joseph, les précieuses graines commandées chez W.H. Perron sont soigneusement semées et les caissons reposent près de la fenêtre, orientation sud. Lorsque la terre retrouve sa couleur printanière, les plants sont placés en couche chaude, le long de la maison, toujours côté sud. Grand-père Laplante est très fier de son potager où ses tomates rougissent de bonheur et voisinent les plants de concombres, les rangs de radis, de salades et d'oignons. Des pommiers accueillent sous leurs branches les plants de citrouilles, et une noble vigne étend ses bras sur un treillis blanc.

Derrière la maison des Laplante habite la famille Mandeville. Gilbert Mandeville est entrepreneur de pompes funèbres. À cette époque, le croque-mort se déplace pour préparer la chambre funéraire à domicile. L'activité peu réjouissante du voisin ne dérange cependant pas la vie remuante des Laplante. Monsieur Mandeville possède une écurie, et les corbillards, noirs pour les adultes et blancs pour les enfants, sont tirés par des chevaux. Il y a beaucoup de décès infantiles; un ami de papa, Éloi Bibeau, succombe de la diphtérie à l'âge de neuf ans. Même si Fleming a découvert la pénicilline en 1929, son utilisation se fera beaucoup plus tard.

L'un des traits de caractère du jeune Marcel, mon papa, est son entêtement. Un jour, il s'amuse avec un petit camion de fer qu'il fait tourner au-dessus de sa tête à l'aide d'une corde. Son père le prévient à plusieurs reprises d'arrêter son manège car, si la corde cède, le camion deviendra un projectile dangereux. Mais Marcel, subitement devenu sourd, continue de plus belle, tant et si bien que la corde lâche et que le camion fracasse une vitre. Le jeune entêté sait fort bien ce qui l'attend: une bonne fessée. Mais la correction ne vient jamais sur-le-champ. Napoléon redoute ses propres colères et la force incontrôlable de ses puissantes mains. Il préfère attendre que la tension s'évapore avant d'administrer la correction. Ainsi donc, après le repas du soir, il n'est pas rare de voir s'aligner au pied de l'escalier deux ou trois coupables à punir. Chacun passe à tour de rôle goûter le funeste dessert, une fessée donnée adroitement par la main apaisée du paternel! Ouille!

Chapitre 2

Il était une fois
Cécile et Marcel

Une bien curieuse cenelle

L e jeune Marcel, mon papa, surnommé «la cenelle» étant donné sa petite taille qui rappelle le fruit de l'aubépine, est constamment sur les talons de son père. De nature très curieuse, il demande sans cesse: «Pourquoi p'pa?» Marcel accorde donc ses pas à ceux de son père, de l'école au-dessus du bureau de poste jusqu'à l'église. Avides de découvertes, tous ses sens sont récompensés par ses efforts quotidiens. Il se rappelle avec délices le jour où il entend pour la première fois un chant polyphonique lors d'une messe en grégorien. Ses oreilles, collées sur le gros Marconi, absorbent en silence les aventures de Madeleine et Pierre, les secrets du Dr Morange et la belle musique en provenance de CKAC et CBF-690, la radio de Radio-Canada. Il se souvient du bonheur de rédiger une dictée où le zéro faute vaut 25 sous en papier! Il se revoit à trois ans, chantant le *Ô Canada*, en jaquette au salon devant son parrain Jos Bibeau, voisin du bureau de poste.

À cinq ans, sa curiosité et ses sens en voient de toutes les couleurs lorsqu'un violent orage accompagné de grêlons s'abat sur la région. C'est une journée du mois d'août, vers 15 h, que le ciel devient subitement noir comme si le soleil s'était évaporé. Les poules, normalement jacasseuses, se taisent et Polion, le regard tourné vers le ciel, marmonne, sa pipe entre les dents: «Ça va être un *bullshit* d'orage!»

En effet, pendant dix bonnes minutes, les éléments déchaînés par le haut taux d'humidité laissent éclater leur colère en tapissant le sol de grêlons de la grosseur d'œufs de poule, comme pour narguer ces dernières devenues aphones! L'orage passé, Napoléon n'a qu'une idée en tête, constater l'ampleur des dégâts dans son champ de tabac à deux milles de la maison.

«Pourquoi p'pa? demande la "cenelle".

– Mon garçon, t'apprendras que les feuilles de tabac sont très fragiles contrairement à leurs tiges rigides et robustes. Avec des grêlons de cette grosseur, j'donne pas cher à mon champ d'tabac, *bullshit* de *bullshit*!»

Polion louait un lopin de terre contigu à ceux du curé Cormier et du cultivateur Pitt Millette. Arrivés sur les lieux, il constate qu'un miracle s'est produit au milieu du désastre. Les champs du curé Cormier et de mon grand-père Laplante sont intacts, alors que le malheureux Pitt voit ses plants de tabac crevassés par la fureur des grêlons, réduits à d'inutiles cotons, telles des croix alignées sur un champ de bataille.

«C'est ça! Le curé et le maître de chapelle sont bénis des dieux, pis moi, le pauvre p'tit cultivateur, y m'reste des cotons!» siffle Pitt Millette. La seule bénédiction salvatrice, l'effet curatif de l'eau des grêlons sur les yeux malades. Il n'empêche que la région se souvient encore aujourd'hui de cet orage et surtout des grêlons de la grosseur d'œufs de poule. Bref, cette grêle effraya la population, en particulier l'aînée de la famille, Monique, qui s'était réfugiée dans un sac de courrier du bureau de poste, pensant ainsi s'enfuir vers des pays plus cléments grâce à ce providentiel transport!

[28]

Je n'aurai pas le plaisir et la joie de connaître ma grand-mère Albina. Elle meurt très jeune, à 57 ans, d'une thrombose coronarienne foudroyante. Dans la famille Crevier, les maladies du cœur se transmettent malheureusement d'une génération à l'autre. À preuve, un oncle d'Albina s'écrase le nez dans sa soupe, victime d'un arrêt cardiaque, et un autre trépasse assis sur les toilettes!

Par contre, j'aurai le bonheur de rencontrer mon grand-père Napoléon à plusieurs reprises. Pendant son veuvage, il tentera sa chance auprès de ma grand-mère maternelle, Marguerite, elle-même veuve d'Euchère. Devant le refus de celle-ci, Napoléon épousera une jolie petite dame du Lac-Saint-Jean, mamie Simone, avec qui il vivra paisiblement à Arvida.

Avez-vous remarqué combien, lorsque nous sommes tout petits, les adultes nous paraissent grands? C'est cette impression que je garde de mon grand-père Napoléon. Un homme très calme et imposant, avec sa petite moustache sous le nez. Tout en fumant sa pipe, il nous raconte toujours, à ma sœur Francine et moi, des histoires passionnantes. Il nous cloue littéralement sur nos chaises lorsqu'il exécute une contorsion spectaculaire avec ses bras démesurés. En croisant ses incroyables bras et en joignant ses mains, il réussit à passer sa tête parfaitement à travers le trou en forme de lasso. Nous en restons bouche bée!

Les souvenirs de nos rencontres familiales du côté de Sorel sont inoubliables. Dieu qu'il y avait du monde à la messe! On aurait dit une véritable fourmilière lors des réunions de Noël et du jour de l'An ou bien l'été au bord du fleuve, chez tante Gaby ou l'oncle Jean, avec tous les cousins et cousines, les tantes et les oncles.

Quelle richesse de faire partie d'une aussi saine et grande famille! De se sentir aimée, choyée, sans l'ombre d'un oncle déplacé ou ivrogne, comme il y en a malheureusement dans plusieurs familles.

Une voix céleste

Maman, Cécile Corbeil, fait ses études à l'école de musique Vincent-d'Indy et rêve de faire carrière en chant classique. Elle participe à de nombreux concours tels que le Ladies Morning Club, le prix Archambault, les Futures Étoiles. Elle décroche même un contrat à CKVL, en 1949-1950, offert par Jack Titelman, propriétaire de la station de radio, située rue Gordon à Verdun. Elle chante des airs semi-classiques et quelques chansonnettes: *Cerisiers roses et pommiers blancs*, des extraits de la *Veuve joyeuse*. Il y a retransmission en direct du théâtre Bijou où Cécile s'exécute en compagnie du ténor André Cantin et de la chanteuse Anna Di Fabio. C'est à cette époque que maman fait la connaissance de l'animateur et fantaisiste Jacques Normand, qui lui dit: «Si tu veux gagner ta vie Cécile, fais du populaire.» Mais l'art lyrique l'inspire davantage, même si son répertoire comprend les airs du temps. Lors des soirées familiales, le cahier de *La bonne chanson* voisine ceux de Fauré et de Schubert. Faut dire que la belle Cécile a de qui tenir! La jeune fille aux cheveux noirs et aux yeux bleu clair fait partie de la dynastie des Corbeil, ayant à sa tête son cousin germain Paul-Émile Corbeil, qui interprète le «Vieux Vagabond» à CKAC, et du non moins célèbre Claude Corbeil, fils de Paul-Émile, l'une de nos plus belles basses au Canada.

Sérénade pour deux cœurs

Cécile et Marcel se rencontrent grâce à la musique. Papa, étudiant en médecine à l'Université de Montréal, est à la recherche d'une voix féminine pour chanter en duo lors d'un bal qui se déroule au lac des Castors, le fameux Tobaggan Club.

«Je connais une jeune fille qui a une voix merveilleuse, dit Georges-Henri Guilbault, un confrère de papa à l'université.

– Quel est son nom? lui demande papa, intrigué.

– Elle s'appelle Cécile Corbeil et habite rue Henri-Julien, dans le nord de la ville. Je sors avec elle régulièrement. Nous ne sommes pas encore fiancés, mais je lui ai demandé de m'attendre jusqu'à la fin de mes études en médecine. De plus, elle est très jolie!»

Par un soir de déluge, Marcel se présente tout trempé, rue Henri-Julien, chez les Corbeil. Toute la soirée, ils s'apprivoisent en unissant leurs voix au rythme insistant du chapelet de grand-mère Marguerite. Pour une première rencontre, il colle drôlement, le p'tit gars d'Sorel!

C'est le coup de foudre! Cécile explique la situation à un Georges malheureux d'avoir été l'entremetteur sans le vouloir. Marcel a éclipsé son rival en chantant son cœur à la belle Cécile. Depuis la première soirée au lac des Castors, ils chantent souvent à l'occasion de récitals ou de mariages. Marcel a également étudié la musique, au séminaire de Saint-Hyacinthe. L'un de ses professeurs n'est nul autre que le célèbre abbé Gadbois, le père de *La bonne chanson*. L'abbé Bernard, maître de chapelle au séminaire, lui communique sa passion pour le chant grégorien. Plus tard, à l'Université de Montréal, Conrad Letendre lui enseigne l'harmonie et l'abbé Clément Morin, doyen de la faculté de musique, lui soumet un sujet de thèse: le trigon. En chant grégorien, le trigon est un groupe de trois points réunis en triangle qui représente les notes si-do-la ou mi-fa-ré. C'est finalement plutôt l'abbé Claude Thomson de Trois-Rivières qui fera sa thèse sur le trigon.

Une anecdote savoureuse est d'ailleurs liée à cet événement. À cause de ses nombreuses obligations, marié et papa de deux fillettes, professeur à Brébeuf et maître de chapelle à Saint-Vincent-Ferrier, papa doit faire une croix sur la thèse et le trigon. Nous sommes alors en 1955. Pour les besoins de sa thèse, papa aurait été obligé de se rendre à l'abbaye de Solesmes en France, afin de potasser les écrits poussiéreux. Notre cher papa a finalement décidé de réserver ses pas et surtout ses sous pour faire vivre sa petite famille.

Mais, 35 ans plus tard, lors d'un périple en sol français, Marcel sonne enfin à la porte de l'abbaye de Solesmes en compagnie de maman et de Christiane et Michel Cailloux, l'auteur de *Bobino*.

Papa demande alors à rencontrer Dom Gajard, une sommité du chant grégorien. Le portier lui répond: «Très certainement mon ami, mais uniquement dans la prière, car il est décédé il y a maintenant plusieurs années!» Alors, tous se rendent en procession sur la tombe du maître, tandis que papa et le portier entonnent un chant grégorien, le *Pueri hebrœorum*. Christiane Cailloux se tourne vers maman et s'écrie: «Ça y est Cécile, tu perds ton Marcel!»

Mes parents se fréquentent durant quatre ans avant de s'agenouiller devant l'autel. La célébration de mariage a lieu le 26 juillet 1952, fête de la bonne Sainte-Anne, en l'église Saint-Thomas-Apôtre, rue Saint-Laurent. C'est par une radieuse et très chaude journée d'été que plus d'une centaine d'invités assistent à l'union des tourtereaux. Un concert unique réunit cinq chanteurs: les neveux du père de la mariée, Paul-Émile Corbeil (le Vieux Vagabond), Alexandre Corbeil, la tante Lucienne, belle-sœur de Marguerite, Étienne Laplante, frère de papa, et Bernard Poliquin, un camarade de Sorel. Pour accompagner le chœur, on fait appel à un confrère de papa de l'Université de Montréal et titulaire d'orgue à l'oratoire Saint-Joseph, nul autre que Raymond Daveluy.

La réception a lieu au chic Ruby Foo's et le voyage de noces emporte les époux non pas vers les habituelles chutes du Niagara, mais bien vers New York en avion, périple qui se prolongera par un circuit en autocar vers Washington et Virginia Beach.

«La cenelle» Marcel, Albina et
Napoléon Laplante.

Marguerite et Euchère Corbeil.

Ma belle marraine,
Marguerite Beaulne.

Marcel Laplante.

Cécile Corbeil.

*Tante Alice
et marraine
Marguerite.*

*Marcel, Cécile,
oncle Paul
et tante Alice.*

*Mes parents chéris!
Cécile et Marcel.*

*Moi
et ma belle-sœur
Lorraine
Bergeron.*

*Stéphane,
Cécile, Christine
et Marcel,
à une émission
anniversaire des
Anges du matin.*

*Avec maman
chérie.*

*Papa Henri,
tante Mimi
et maman
Yvonne.*

*Spécial
pour
les 10 ans
de la Rose d'Or,
Salon de la
Femme:
papa Henri,
moi, Martine
et Denys.*

*Papa Henri
et Denys.*

Notre belle famille à la Place des Arts après une performance extraordinaire de notre papa. Il a participé à l'album Cantiques de Noël *dont les profits ont été versés à la Fondation Charles-Bruneau.*

Le 50ᵉ anniversaire de mariage de mes parents chéris, Cécile et Marcel.

Moi, Milie, notre filleule, et Denys.

Chapitre 3

Une naissance difficile

J'ai failli ne jamais voir le jour. Mes parents savourent leurs premiers mois de mariage lorsque maman ressent les signes évidents d'une grossesse. Ils habitent 9819, rue Saint-Hubert à Montréal, dans le quartier Ahuntsic.

Papa cumule alors plusieurs fonctions, comme il le fera toute sa vie; il est, à cette époque, maître de chapelle à l'église Saint-Thomas-Apôtre, et poursuit des études de musique à l'Université de Montréal. Maman, de son côté, travaille comme secrétaire pour Canadair et chante pour toutes sortes d'occasions. Cécile et Marcel désirent fonder une famille nombreuse, et la venue annoncée du premier les comble de bonheur. Mais ils déchantent vite lorsqu'un soir maman fait une hémorragie et perd un fœtus sanguinolent. On ne peut distinguer le sexe de cette forme rougeâtre d'environ deux mois. Sur les recommandations du Dʳ Lemay, papa brûle la masse de chair dans le jardin, sous une pluie désespérante, comme si chaque goutte d'eau se battait pour éteindre le funeste brasier.

Quelques semaines plus tard, maman ressent les symptômes violents d'une autre grossesse; elle a constamment mal au cœur à la vue de toute nourriture et maigrit mystérieusement, elle qui ne pèse pas 100 livres.

Inquiète et surtout perplexe, maman consulte un vieil ami de la famille, le Dr Hymovitch, qui l'envoie à son tour consulter un gynécologue réputé.

Le diagnostic est bref et inattendu: enceinte de quatre mois! Quelle surprise! Et surtout quel hasard: Marguerite avait connu le même scénario en portant sa fille Cécile!

Abandonnée par ma jumelle (ou mon jumeau), je continue paisiblement ma croissance utérine, bercée par les sons rassurants d'une divine et lointaine musique. Ma mère possédait une voix de soprano extraordinaire. J'utilise intentionnellement l'imparfait ici, car vous lirez plus loin le drame que maman chérie a vécu lors d'une répétition.

En duo, maman et papa chantent selon le cas *Sweetheart* ou *Panis angelicus*, de Fauré. À l'église Saint-Eusèbe-de-Verceil, rue Fullum, près de la rue de Rouen, ils peuvent enchaîner huit ou neuf mariages chaque samedi, en période estivale.

C'est la merveilleuse époque de l'après-guerre, où renaît l'espoir d'une vie meilleure. Les cloches sonnent à la volée, clamant haut et fort les unions qui se multiplient, tel le miracle du pain et des poissons de la Bible.

La tradition se poursuit avec les naissances, et ces années remarquables, uniques, fiévreuses et joyeuses sont baptisées, à juste titre, les années du baby-boom.

Maman adore le cinéma surtout lorsqu'il y a des *musicals* à l'affiche. Nelson Eddy et Janet McDonald ravissent les amoureux de leur *Sweetheart*. Fred Astaire et Ginger Rogers accordent leurs pas au grand écran, apportant la magie hollywoodienne pour 60 cents la représentation, et souvent un programme double pour le même prix.

Mais, depuis quelque temps, maman limite ses déplacements, car sa grossesse arrive à terme. La mentalité de l'époque interdit les sorties inutiles, et la femme enceinte à tour de bras se contente de finir sa layette dans le chaud et rassurant domicile conjugal. Mais le soir du 26 octobre 1953, le poids de ce futur bébé qui lui a donné tant de haut-le-cœur disparaît comme par enchantement. Voilà que la maman-oiseau, légère comme une plume, s'envole en direction du cinéma Crémazie au bras du futur papa-moineau!

«Cécile! Qu'est-ce que tu fais ici?» chuchotent en chœur les sœurs Beaulne, Marguerite, Alice et Bernadette, en voyant Cécile et Marcel prendre place dans la rangée.

«Ah, maman! Je me sens tellement bien!»

Vous vous doutez bien que c'était le signe indéniable que l'oisillon voulait se montrer le bec!

Sur le coup de minuit, le travail commence. Mes parents arrivent rue Boyer, entre Bélanger et Jean-Talon, où se trouve un tout petit hôpital privé d'une vingtaine de lits, Notre-Dame-du-Rosaire. Chaque maman y reçoit un accueil privilégié. On les appelle «les p'tites reines».

Après l'examen d'usage, vers 1 h du matin, garde Elliot, la propriétaire du royaume, déclare que ce ne sera pas très long, le col étant bien dilaté.

Les huit heures suivantes seront un véritable calvaire! Le paradis devient un enfer! L'ascenseur tombe en panne et il manque de personnel. Papa transporte les parturientes toute la nuit, pendant que maman, affaiblie par les contractions, réclame le fameux masque de trilène. Finalement, à 9 h 15, on me délivre d'un double tour de cordon et je vois le jour sous les regards soulagés du Dr Conrad Lemay, de ma mère encore tout étourdie des vapeurs du trilène et de mon père fourbu, mais heureux. Papa est sûrement l'un des premiers pères à avoir eu le privilège d'assister à l'accouchement de sa femme. L'obstétricien Conrad Lemay, l'un des fondateurs de l'hôpital Saint-Michel, est un confrère de papa à l'université.

Lorsqu'on me met, toute propre, dans les bras de mes parents, mon corps, bleuâtre des suites du long et pénible combat,

[43]

peut enfin respirer. Je suis débarrassée de ce fichu boa ombilical qui me retenait prisonnière. C'est sans doute la raison pour laquelle je souffre de claustrophobie! Née le 27 octobre 1953 à 9 h 15, je suis Scorpion ascendant Sagittaire, et Serpent en astrologie chinoise! Mes parents choisissent le prénom Lise en souvenir de la première poupée de maman. Je m'appelle donc Lise Laplante. Mais on m'appellera surtout Lison, un surnom que je n'aime pas du tout!

La maison rue Saint-Luc

Mes parents achètent leur maison rue Saint-Luc, à Laval-des-Rapides, 10 500 $ en 1954. Ils y habitent toujours d'ailleurs, et ce, depuis près de 50 ans! J'ai 13 mois lorsque nous emménageons, c'est au mois de novembre, en pleine tempête de neige. Papa pose les doubles châssis par un froid de canard.

Mes grands-parents maternels, Marguerite et Euchère, mes oncles Michel et André, suivent rapidement notre trio et s'installent également dans le petit bungalow.

Le trio s'élargit bientôt, puisque maman est déjà enceinte de la deuxième, qui verra le jour en janvier suivant.

Elle doit se sentir bien seule, ma maison de briques rouges, isolée à un bout de la rue, près de Grenon, alors qu'à l'opposé, près de Derome, deux familles se voisinent, les Jetté et les Dusseault. Derrière la rue Saint-Luc s'alignent les rues Quintal, de l'Étoile et Bazin, parsemées de cheminées fumantes, puis la plaine s'étend à perte de vue. Ces champs appartiennent aux frères des Écoles chrétiennes qui résident et enseignent au Mont-de-LaSalle. Le boulevard des Laurentides ouvre les portes de l'île Jésus, en s'accrochant au pont Viau, vers le nord. Il divise ainsi les quartiers Laval-des-Rapides à l'ouest et Pont-Viau à l'est. Je grandis donc dans un coin en effervescence, qui deviendra la paroisse Saint-Claude. Mais à cette époque, seules quelques maisons, construites par les frères Brunet et GrandMaison, voisinent notre cour où s'étend une campagne en voie d'extinction.

Notre maison reçoit deux bénédictions, notamment celle de l'oncle Armand, ébéniste et menuisier qui a eu le loisir d'inspecter les fondations voisines. Oncle Armand déclare que c'est du solide et du bien bâti! Le frère de Marguerite possède un caractère singulier. Il sourit rarement, sauf lorsqu'il taquine ses neveux et qu'il surnomme ses nièces «Melvina». Ce n'est que dans ces moments-là qu'une esquisse de sourire et une brillance dans l'œil pointent sur son visage. Il donne alors une tape amicale derrière la tête de l'insouciant attablé juste au moment où celui-ci tente de prendre sa bouchée. Oui, c'est un drôle de personnage que ce vieux garçon. Il vit son célibat auprès de sa sœur Alice et de son beau-frère Paul Labelle, de l'autre bord du pont, à Ahuntsic.

L'autre bénédiction est plus solennelle. La maison aux pieds solides, au corps bien isolé est bénite par Father Eligio Della Rosa. Il est le cousin de tante Betty Leone qui épousera oncle Michel, le frère de maman, pendant l'été 1955. Father Elige habite New York et exerce sa prêtrise dans la paroisse St. Rocco. C'est un bel Italien élancé et souriant, tout le contraire d'Armand, le vieux grincheux!

En entrant dans la maison, Father Elige remarque la croix de Jésus, mais surtout le Sacré-Cœur, protecteur du logis, dûment accroché.

«This house is already blessed!» déclare-t-il, en faisant le signe de la croix.

Le drame muet

Mes parents chantent toujours ensemble lors des cérémonies religieuses, comme dit papa: «les viandes froides», c'est-à-dire les services funèbres, et «les viandes chaudes», les mariages.

Même enceinte, cette fois de ma sœur Francine, maman gravit souvent 85 marches et plus pour atteindre le jubé et y chanter sept ou huit mariages de suite. Au cours d'une répétition, maman s'apprête à entonner un air, lorsque le drame se produit: pas un seul son ne sort de sa bouche! L'organiste, Raymond Daveluy, dévisage la soliste bouche bée, celle-ci regarde à son tour Marcel qui, sur le coup, ne comprend pas ce qui se passe. Cécile tente désespérément de sortir un son. Rien.

Elle est subitement aphone, incapable de produire non seulement une note mais de prononcer un mot! C'est la fatigue sans doute ou peut-être son état qui est responsable du malaise subit. Après tout, ce n'est qu'un problème passager, la voix reviendra sûrement après quelques jours de repos. Muette d'inquiétude, Cécile consulte un éminent docteur de l'Institut du cancer. Après les examens d'usage, il constate un léger nodule sur une corde vocale, sans plus.

La voix réapparaît graduellement, mais les cordes vocales ne vibrent plus avec la facilité d'antan. Maman chante désormais dans la maison, avec ses enfants pour seul public. Quelle tristesse! Elle avait le coffre d'une grande cantatrice, mais Dieu en a décidé autrement. On ne saura jamais la cause de cette tragédie. Une autre chanteuse, Jacqueline Phaneuf, a connu le même sort après une grossesse.

Nous chanterons, maman et moi, beaucoup plus tard lorsque papa dirigera sa dernière chorale, celle de Saint-Sylvain, dans le quartier Saint-Vincent-de-Paul, à Laval. Enceinte, je couvais ma fille Martine en chantant la partie alto avec maman chérie, un grand bonheur!

Végétarienne avant l'heure

«La p'tite dort encore? Laisse-la donc dormir Cécile, pis coupe son boire de minuit!» dicte Marguerite, ma marraine.

Aux dires de maman, je suis une belle «poupoune» agréable qui ne fait pas beaucoup de bruit autour de moi. Je suis silencieuse déjà au berceau. Maman doit même me réveiller à minuit pour ma bouteille de lait.

Le matin, à mon réveil, je tremble de tout mon corps tellement j'ai soif. Maman me donne mon jus d'orange suivi du délicieux Pablum. Je déguste chaque bouchée et je m'endors jusqu'à midi. Là, c'est une autre paire de manches!

«Une vraie misère c't'enfant-là! Pas moyen de lui faire manger de la viande. Tout ce qu'elle veut c'est des carottes, et encore des carottes et puis son lait», déclare maman, impuissante devant mes goûts gastronomiques.

Je mange tellement de carottes que j'ai le teint jaune orangé! J'accepte également les courges en purée et d'autres légumes, mais point de viande et autres mets gras.

Quel dédain lorsque j'aperçois une pièce de viande crue ou cuite! Je ne vois que les filaments graisseux, pourtant maman n'achète que de la très bonne viande à la boucherie de M. Tousignant, à Pont-Viau.

Dans les années 50, il est normal de manger deux repas de viande par jour. Et chez nous, la tradition québécoise est bien enracinée. Au menu, on trouve du poulet, du porc et du bœuf. Le vendredi, on fait obligatoirement maigre, en consommant le saumon à la sauce blanche, avec des œufs durs. Pour le carême, les adultes font maigre et jeûnent, tandis que les enfants se privent de friandises. Pour ma part, je ne suis pas très chocolat, mais pour ma sœur Francine, c'est une réelle privation. Pas de bonbons! Je préfère les délices salés, comme les croustilles. Mais je ne me rappelle pas que celles-ci soient omniprésentes dans le garde-manger. Les boissons gazeuses sont inexistantes. Il y avait bien sûr le fromage d'Oka qui dégage ses effluves typiques lorsqu'on ouvre la porte de l'armoire. Pas question de mettre le formage d'Oka au réfrigérateur! Il est bien meilleur à la température de la pièce! Le laitier livre plusieurs pintes de lait par semaine, et nous buvons également des jus de fruits et de légumes.

Le repas que je déteste le plus est la fricassée de grand-mère.

«Cécile, je fais un "chiard" avec les restants de viande et de patates.»

J'écarte alors les petits morceaux de viande sur le bord de l'assiette et j'engouffre les morceaux de patates dans la sauce. Mais si le «chiard» est une purée, alors là je passe mon tour! Souvent grand-mère hache le restant de bœuf et mélange le tout à la purée de pommes de terre de la veille.

Et on croit m'avoir! Allons donc!

La coutume, rue Saint-Luc, est de manger le steak le samedi midi. Vers 11 h, maman sort son énorme poêlon en fonte et grille les morceaux de ronde de bœuf pour la famille. Elle prépare également de la sauce au thé avec l'infusion de la veille restée dans la théière. Papa revient de chanter à deux ou trois funérailles, et l'oncle André sort enfin de son lit, attiré par l'odeur du beurre fondu.

Là, mes enfants, le cirque du steak commence! Maman prépare nos assiettes en premier. Pendant que le morceau de l'oncle André grésille dans le poêlon, celui-ci va à la pêche dans nos assiettes.

«Regardez le petit oiseau les p'tites filles!
– Où mon oncle, où?»

Pendant que nos regards cherchent le volatile fantôme, oncle André pique un carré de viande dans l'assiette de ma sœur et de la purée dans la mienne. On se fait avoir à tous coups! C'est une bien petite vengeance de la part de celui qui a eu droit à notre manège des crayons passés à l'aiguisoir tôt le matin.

Pendant que notre «mononcle» dort profondément dans la chambre au sous-sol, nous en profitons pour aiguiser nos tonnes de crayons de couleur tout juste à côté dans la chambre à fournaise. Le taille-crayon, vissé dans le mur, vibre rondement à chaque coup de manivelle!

«En haut les p'tites filles là!» rugit l'oncle, tiré de son sommeil.

Après quelques minutes, nous redescendons sur la pointe des pieds et nous recommençons notre aiguisage. Après deux ou trois tentatives, maman nous confine au rez-de-chaussée jusqu'à ce que notre oncle se lève et que le steak pétille dans la cuisine.

Je me mettrai à manger de la viande beaucoup plus tard, vers l'âge de huit ou neuf ans. Le poulet sera mon premier choix, et encore, que de la viande blanche! Je trouve la partie brune vraiment trop grasse. Mes repas préférés sont les pâtes.

J'aime bien la sauce de maman, mais très jeune je me prépare souvent un plat de spaghetti beurre-fromage. Oh, mes enfants, que j'aime ça! J'exhibe d'ailleurs un bedon rondelet à force d'engouffrer les divines pâtes de blé.

Aujourd'hui, j'ai les papilles gustatives trop développées! Je mange absolument n'importe quelle viande, du boudin, des huîtres en écaille et de la cervelle. Je n'ai toujours pas la dent sucrée, je préfère encore les mets salés. J'adore préparer diverses cuisines du monde, mais ma préférée reste l'italienne comme un tendre *osso buco* accompagné d'un rizotto parfumé au safran. Divin! Je n'ai pas le coup de spatule en ce qui concerne les desserts, le gâteau ne lève pas! Je passe le flambeau à d'autres, comme ma belle-sœur Lorraine Bergeron. Je pourrais facilement la canoniser sur-le-champ: sainte Lorraine des petits délices sucrés! À côté de ses réalisations culinaires,

Martha Stewart peut aller se faire cuire un œuf! Lorraine partage ses prouesses en multipliant les «p'tits soupers». Avec elle, on ne compte pas les tours! Elle a le cœur aussi doux et généreux qu'une onctueuse crème pâtissière débordant d'une croûte feuilletée. Lorraine fait partie de mes petites chéries d'amour!

On m'appelle «le coq de la famille», car j'ai pris l'habitude de me lever très tôt le matin. Dès l'âge de quatre ans, je glisse le pied hors de mon lit vers les 6 h et, sans faire de bruit, je prépare mon déjeuner en prenant bien soin de fermer la porte de la cuisine. Maman dresse toujours la table la veille; dans chaque assiette, elle dépose les incontournables comprimés de vitamines à prendre en saison hivernale.

Je n'oublierai jamais la tête de l'imitateur Jean-Guy Moreau, à la fin de l'année 1972, lorsque nous sommes entrés dans la cuisine, après un party des fêtes de la station CKLM où nous travaillions comme animateurs. Il avait eu la gentillesse de me reconduire à la maison et, pour le remercier, je lui avais offert un café.

En voyant les vitamines au milieu des assiettes, Jean-Guy s'était exclamé:

«C'est tout ce que vous mangez ici?

– Bien sûr que non, Jean-Guy!»

Il était 2 h du matin et je me retrouvai attablée dans la cuisine familiale, à grignoter des rôties au beurre d'arachide et à siroter un café avec celui qui allait devenir l'un des plus grands imitateurs du Québec, Jean-Guy Moreau.

«J'ai entendu du bruit la nuit dernière dans la cuisine. Tu n'étais pas seule?

– Non, maman, j'étais effectivement en excellente compagnie; je prenais un café avec Jean-Guy Moreau.»

Je retrouverai Jean-Guy beaucoup plus tard, en 1994, sur le plateau de l'émission *Les Christine* à Sherbrooke. J'ai eu l'immense bonheur de faire un numéro d'imitation où Édith Butler (moi) chante avec Gilles Vigneault (Jean-Guy).

Jean-Guy Moreau est un grand artiste au faîte de la gloire et il demeure le même que celui que j'ai connu dans ma cuisine 22 ans plus tôt. Voilà un trait de caractère commun à bien de grands artistes. Les plus grands sont les plus humbles. Jean-Guy Moreau n'échappe pas à cette affirmation; le renversant imitateur du maire Jean Drapeau est d'une infinie délicatesse envers l'équipe de production. Je constaterai le même phénomène à plusieurs reprises au fil des années. Ce sera chaque fois une importante leçon d'humilité lorsque je croiserai la route des plus grandes vedettes d'ici et d'ailleurs.

Chapitre 4

Les petites crinolines

La petite école Sainte-Cécile

« **D**épêche-toi, Francine! On va être en retard à l'école!» Combien de fois ai-je répété le même refrain...

J'ai toujours eu peur d'être en retard, depuis mon premier jour d'école jusqu'à aujourd'hui. Je suis très ponctuelle, comparativement à ma sœur qui traîne son sac. Nous marchons un mille quatre fois par jour pour nous rendre à l'école Sainte-Cécile, puisque nous revenons à la maison pour dîner. Le parcours est assez long et chaque fois je crains de louper la cloche. Plus ma sœur prend son temps, plus je m'énerve.

«Envoie, Francine! Eh, sainte! t'es pas encore habillée?»

Faut dire que ma petite sœur chérie a tout un rituel vestimentaire! Par-dessus sa petite culotte, elle enfile un collant et ensuite une autre culotte afin de tenir le tout bien en place et surtout bien au chaud. Cré Francine, va!

Dis donc, est-ce que tu t'habilles toujours de la même façon aujourd'hui?

Juste avant Sainte-Cécile dans la paroisse Saint-Claude, je fais ma première année au privé chez les sœurs du Bon Conseil, à Ahuntsic. Je porte alors une robe marinière avec le sifflet blanc, le béret sur la tête, les bas et les souliers marine. Je déteste, mais je ne dis pas un mot. En silence, je grimpe dans l'autobus de M. Raîche, qu'on appelle «Monsieur Pêche». À bord de son véhicule flottent des odeurs de pommes pourries mêlées de gommes à effacer et de crayons à mine, et nous filons de l'autre bord du pont Viau, en direction du boulevard Gouin où se trouve l'école des religieuses. Je n'aime pas l'odeur de la cire à plancher du collège, je déteste les sœurs habillées de noir et je peste surtout contre moi, car je reste muette et je ne me lie pas aux autres petites filles. Je suis tellement engourdie par la timidité qu'un jour, n'osant pas demander à la sœur au gymnase la permission d'aller aux toilettes, je fais pipi dans ma grosse culotte épaisse de gym. Le regard outré de la religieuse qui me montre le chemin de la salle de bains me glace, et je serai bien «soulagée» lorsque mes parents signeront mon entrée à l'école publique avec ma sœur Francine, l'année suivante!

Ah, cette chère école Sainte-Cécile! Un bâtiment rectangulaire sur deux étages, comme il s'en construira beaucoup dans les années 50, où dans l'entrée trône la statue de la patronne de la musique tenant une lyre entre ses mains. Une cour de récréation la sépare de l'école Saint-Gérard, réservée aux garçons. Pendant cinq ans, c'est-à-dire de la deuxième à la sixième année, je frotterai ses bancs d'écoliers, je nettoierai les tableaux sans jamais, au grand jamais, aller au coin. Je reste sage comme une image… de Sainte-Cécile!

Mes amies Hélène Éthier et Marie Dauphinais, et combien d'autres filles des rues avoisinantes, sont mes copines de classe d'une année à l'autre. Les enfants de la rue Saint-Luc ont parfois leur chauffeur privé, notamment les jours de tempête de neige ou de pluie. À bord de son gros camion blanc, M. Dauphinais, le laitier, conduit une flopée de gamins dans un cliquetis de bouteilles. Un rêve! Je suis certaine d'arriver à l'heure!

Vingt ans plus tard, je retrouve mes copines de l'école Sainte-Cécile à l'émission *Avis de recherche*, animée par Gaston L'Heureux et Aline Desjardins. Quel beau souvenir! Nos retrouvailles sont très émouvantes. Je reconnais certaines d'entre elles comme mes copines de la rue Saint-Luc, mais quand j'arrive nez à nez avec notre professeur et la «tannante» de la classe, Germaine Dionne, alors là j'écrase littéralement! En un éclair, les souvenirs de la petite école remontent à la surface et je revois la maîtresse d'école invectivant encore une fois la coupable:

«Germaine Dionne! La gomme à mâcher est défendue. J'ai toujours dit que les ruminants restaient dans les champs!»

Ma Germaine retire délicatement sa chique de gomme en gardant son petit sourire en coin et ses yeux moqueurs. Jamais je n'aurais eu cette audace! Au fond, j'admire son côté frondeur et ses idées folles.

Et voilà que nous sommes à nouveau réunies pour partager nos bonheurs et nos chagrins d'écolières.

Que faites-vous aujourd'hui? J'espère de tout mon cœur que vous avez glissé tout doucement vers la cinquantaine sans perdre pied! Vous rendez-vous compte, les filles, que la moitié de notre vie est dorénavant réglée, en petits morceaux figés dans des albums jaunis, dans les plus petits recoins du cœur, pliés, froissés, brûlés ou encadrés, peu importe la façon dont vous avez entassé chaque battement de vie quotidienne?

Pour ma part, je suis étourdie et en même temps ravie. Je prépare cette étape importante de ma vie depuis longtemps. J'ai envie de m'éclater avec tous ceux que j'aime. J'ai besoin de revoir ceux et celles qui ont croisé ma vie, de l'enfance à ce jour. Même ceux qui flottent quelque part dans le ciel.

Je leur parle régulièrement! Faut bien les faire travailler, quand même! Je les sens toujours si près de moi. Je parle souvent à ma marraine Marguerite, à mon Guy-Guy (Guy

Sanche). Je sens qu'ils sont heureux lorsque je tire leurs ailes pour demander une faveur ou simplement pour qu'ils m'écoutent. Cela me fait un bien énorme. Tout comme écrire ce livre en ce moment. Je vous recommande d'en faire autant. L'exercice est très libérateur, car il permet de faire le point. Je m'arrête vraiment pour la première fois de ma vie. La commande est également troublante. Cela m'oblige à descendre en moi, et j'appréhende la visite. J'empile les émotions, les soucis, les rêves, les grands bonheurs et les trous noirs depuis maintenant 50 ans. C'est peu et en même temps la marmite est pleine. Je m'allonge sur le clavier d'ordinateur comme sur un divan de psy. Mes doigts tapent ma vie mot à mot et les phrases recomposent à l'écran des moments merveilleux, fous et parfois cahoteux de ma courte existence.

J'ajouterais que la commande est également un devoir incontournable. Je sens le besoin de fouiller le passé pour avancer le pied vers demain. La pause est essentielle et stimulante.

Les petites crinolines

Après la naissance de la cadette, Francine, suivent celles de Serge et 10 mois plus tard de Sylvie. Stéphane, le benjamin, fermera la danse en 1963. Avant la dernière naissance, mes parents n'ont toujours pas de voiture. Les priorités familiales sont d'ordre alimentaire et vestimentaire.

Nous sommes tous tirés à quatre épingles et on ne chipote pas sur la bonne nourriture. Maman achète ce qu'il y a de mieux, les meilleurs rosbifs et des légumes variés, et elle s'assure que tout son petit monde est correctement vêtu.

Elle s'amuse à nous habiller, Francine et moi, presque en jumelles. Nous portons, par exemple, les mêmes robes avec des collets de couleurs différentes. La tante Alice, sœur de Marguerite, confectionne de ses doigts de fée de ravissants petits manteaux, souvent taillés dans un unique manteau d'adulte. Elle fixe un collet de fourrure, découpé dans une étole défraîchie, ou encore dans un carré de velours. Nous portons des guêtres en cuir brun, des gants assortis et le chapeau approprié. Je vous le dis, madame, deux cartes de mode! Nous sommes des clientes assidues chez Madame Lalongé, rue Saint-Hubert, à Montréal.

Une médaille de la Sainte Vierge en tout temps et un carré de camphre enveloppé dans un morceau de coton les jours d'hiver, parent nos sous-vêtements blancs.

La mode est également aux crinolines qui servent de montgolfières aux jupes et aux robes. Le dimanche est le jour du Seigneur, mais aussi le moment de la semaine où on revêt ses plus beaux atours. Les petits souliers en cuir verni, le sac à main assorti, les guêtres et les crinolines ne moisissent pas au fond de la garde-robe!

Notre grande joie, à Francine et à moi, est de faire un tour de l'autre bord du pont, à Ahuntsic, chez tante Alice et oncle Paul. Comme ils n'ont pas d'enfant, ils nous accueillent toujours avec chaleur et en profitent pour nous gâter un peu. Oncle Paul nous donne un castor ou un bateau, parfois un caribou, et nous courons rapidement avec au magasin, rue Henri-Bourassa, pour dépenser cette monnaie en outils de chocolat, en hosties avec des billes de couleurs, en réglisse rouge ou bien en beau cornet de crème glacée!

«Tiens! Mes p'tites crinolines!» dit la dame derrière le comptoir à friandises.

Bien des années plus tard, lorsque je serai connue pour mon rôle dans *Marisol*, j'aurai la surprise de ma vie en entrant dans une pâtisserie, rue Henri-Bourassa.

«Tiens! Ma p'tite crinoline!» s'exclamera la dame derrière le comptoir à délices. La même dame qui nous vendait nos friandises 30 ans plus tôt!

Après le repas du soir, sur le coup de 19 h, on s'agenouille dans le salon, sur le plancher de bois, pour le chapelet en famille. Le cardinal Paul-Émile Léger, en direct de la cathédrale Marie-Reine-du-Monde, défile le chapelet sur les ondes de CKAC. Nous récitons les prières dans la pénombre. Seuls les voyants lumineux de l'appareil radio brillent, ressemblant à des yeux maléfiques. Ma sœur Francine et moi égrenons patiemment nos petits chapelets, car dès que le amen sera dit, nous aurons droit au dessert de la maison. Il n'y a que chez tante Alice et oncle Paul où l'on déguste un verre de *cream soda* dans lequel flotte une grosse boule de crème glacée à la vanille. C'est la récompense divine après la prière du soir!

Chère tante Alice! Tu dois bien tricoter ou coudre des fils d'or pour le petit Jésus! Et toi, oncle Paul, tu fumes encore tes gros cigares assis sur un nuage? Ah, ce que j'ai pu passer des moments précieux en votre compagnie, et ce, malgré la présence du vieux garçon Armand! Il était tellement grincheux et peu souriant qu'il me faisait peur.

En y repensant sérieusement, je me rends compte que ma timidité m'a étouffée énormément durant toute mon enfance et a contaminé également mon adolescence.

La plupart du temps, cette horrible timidité me transforme en muette. Inconsciemment, je développe des peurs imaginaires. Très jeune, je me couche dans mon petit lit en repliant les jambes et les bras sous mon corps. Aujourd'hui encore, je plie parfois machinalement mes jambes sous les draps, sans m'en rendre compte. Drôle d'habitude, tout de même!

Je suis extrêmement sensible aux odeurs et aux endroits inconnus. Je me trouve en sécurité à la maison, entourée d'objets familiers et d'odeurs rassurantes. Je dis souvent en arrivant à la maison: «Mon beau lit, mon beau pyjama, ma belle chambre!»

Depuis quelques années, je répète plutôt la phrase de mon papa Henri: «Qu'on est bien à l'horizontale!»

J'aime changer de vêtements en fin de journée pour enfiler un jogging de coton. C'est une réelle détente après une journée de travail. Mais l'ultime récompense est mon beau lit! Je ne suis pas «veilleuse» et j'adore m'étendre en soirée, en faisant parfois deux activités à la fois, écouter la télé tout en lisant un quotidien ou une revue. En passant, certains comédiens éprouvent de la difficulté à mémoriser leurs textes. Je dois vous avouer bien humblement que la meilleure façon pour moi d'apprendre est justement à l'horizontale, dans mon lit, pendant que la télé, la radio ou un CD crache sa cacophonie! Les répliques s'incrustent plus facilement, car je dois faire preuve d'une concentration accrue!

Durant toute mon enfance et même plus tard, j'ai malheureusement la mauvaise habitude de me ronger les ongles. Pour camoufler mes vilains bouts de doigts, je garde les poings fermés. Il faudra attendre bien des années avant d'apercevoir un semblant d'ongle qui aura réussi à pousser au bout d'un doigt. À ce moment-là, j'aurai plus de 20 ans!

«En voiture, les enfants!»

«Va y avoir d'l'orage. Les enfants ne tiennent pas en place!» Grand-mère Marguerite est aussi excitée que nous tous, mais elle garde son sang-froid. C'est le grand jour! Fini le gros autobus puant du Provincial Transport qui nous amène au centre-ville de Montréal! Fini la route Montréal-Sorel en bus! Fini les remarques blessantes des copines: «Hon, vous n'avez pas d'auto?» Maintenant notre famille pourra se balader dans une belle voiture neuve!

«Elle arrive! Elle arrive!» crient en chœur les plus jeunes.

Elle s'arrête à la porte de la maison. Ce qu'elle est belle!

«Allez les enfants, en voiture!» lance papa en ouvrant les portières.

«C'est quoi la marque, papa?

– Une Parisienne 1964, quatre portes, huit cylindres!» répond notre papa si fier de posséder enfin sa propre auto.

Elle est rouge à l'intérieur, et un noir rutilant enveloppe la carrosserie. Les pare-chocs de métal scintillent à l'avant et à l'arrière et découpent élégamment le métal foncé. Le volant est immense et le tableau de bord est parsemé de boutons chromés. Un semblant de siège d'enfant trône à l'avant, pour Stéphane, le bébé. Nous faisons rapidement le tour de quelques pâtés de maisons, tout en sautillant sur la banquette arrière! À cette époque, il n'y a pas de ceintures de sécurité à bord des véhicules.

Puis, ce sera au tour de maman de s'installer derrière le volant. En voulant garer la bagnole, maman accroche le maudit poteau à l'entrée et écorche l'aile droite de la Parisienne toute neuve!

«Bâtard! s'exclame papa en voyant l'aile légèrement enfoncée.

– J'ai pas fait exprès, voyons Marcel!»

Les chicanes entre maman et papa sont toujours passagères, mais réglées comme du papier à musique. Maman s'explique et papa boude.

Ils font leur numéro qui peut s'étirer sur deux ou trois jours. Maman jaspine dans la cuisine et papa boude dans le sous-sol.

«Allez Marcel, monte! C'est le temps de souper», dit maman, fatiguée à la fin. Elle fait toujours les premiers pas. Toujours.

Aussi, lorsqu'elle laisse échapper la remarque après que j'ai fait une bévue: «Bon, Lison va faire du boudin dans son coin!» pour moi c'est l'insulte suprême. Je tiens donc de papa pour la fabrication occasionnelle du machin dans le boyau – dont j'ai en horreur, en passant! Pouah! Du sang figé inséré dans un viscère d'animal qui rappelle, n'ayons pas peur du mot et de l'image, une grosse crotte! Oui, je l'avoue, lorsque maman me sert la remarque, je vois l'attitude de papa, et je ne veux pas faire la même chose.

Lorsque je suis contrariée, j'ai malgré moi une forte tendance à m'enfermer dans un affreux mutisme qui ne règle rien au fond. Et j'en suis très malheureuse. Aujourd'hui, je n'ai plus ou presque cette fâcheuse attitude. Depuis quelques années, je prends le parti de rire d'une situation frustrante plutôt que de choisir le silence. Désormais, je préfère déguster mon boudin avec du bacon croustillant et une purée de pommes de terre!

Plaisir d'amour ne dure qu'un bonbon!

La musique a toujours fait partie de notre vie. Tous les dimanches, après la messe, nous descendons au sous-sol pour écouter différentes musiques. Opéra, musique de ballet, concertos
pour piano, pour violon et symphonies envahissent nos jeunes
oreilles.

Je me rappelle un jour au lac Conneley, quand un cousin
de maman, Claude Corbeil, le fils d'Alexandre, tient à enregistrer ma chanson préférée, *Plaisir d'amour*, que j'interprète à ma façon: «Plaisir d'amour ne dure qu'un bonbon...»
Je vois l'immense machine où trônent deux grosses roues sur
lesquelles s'enroule le ruban, et surtout le gros microphone
que Claude me tend. Je suis terrorisée! Je me fige littéralement sur place et j'en oublie les paroles et l'air de la chanson.

«Allez Lison, chante! *Plaisir d'amour ne dure qu'un...
qu'un...* Ah, la p'tite gueuse! Les enfants sont tous pareils!»
déclare maman.

Je me réfugie sous un arbre et je préfère écouter le chant
des oiseaux!

Papa est maître de chapelle à l'église Saint-Vincent-Ferrier,
rue Jarry, à Montréal. Il dirige une chorale impressionnante
de voix masculines exclusivement. Le ténor Guy Lafleur fait
vibrer les foules lorsqu'il entonne le *Minuit chrétien*, et la
formation entière résonne dans l'église, en harmonie avec les
notes propulsées par les tuyaux d'orgue dont joue André
Mérineau. Le grand plaisir de cette sortie dominicale commence par une course au jubé. Qui, de ma sœur Francine ou
de moi, atteindra le dernier étage où s'alignent les énormes
tuyaux de l'orgue, et où les chanteurs fument avant la messe?
Deux escaliers latéraux d'une centaine de marches en tout

permettent d'y accéder. Au signal convenu, ma sœur et moi attaquons chacune notre escalier pour atteindre notre but. La joie ultime est non seulement le fait de fouler un lieu interdit au public, mais de s'asseoir aux côtés de l'organiste! D'être des spectatrices privilégiées! Lorsque M. Mérineau fait signe à l'une de nous deux, notre cœur palpite et, en silence, nous prenons place devant les claviers et les registres. Ses pieds agiles se promènent adroitement sur le pédalier pendant que ses mains actionnent les jeux et touchent les notes sur trois claviers!

Du jubé, la vue est saisissante. Les coups de claquette dictent aux fidèles les mouvements appropriés. Assis, debout, à genoux, amen!

La grand-messe revêt toujours un caractère encore plus solennel, quand le curé et ses vicaires sont parés de leurs chasubles dorées, les servants de leurs surplis immaculés. Pendant le temps des fêtes, on assiste non seulement à la messe de minuit, mais aussi aux suivantes, la messe de l'aurore et celle du jour. Lorsque le prêtre entame la dernière messe, les prières latines défilent en un éclair, car dans la nef plusieurs paroissiens cognent des clous. En ce qui nous concerne, ma sœur et moi, nous dormons sur le banc depuis belle lurette. Tout est parfait; la foule récite le *Pater noster* et baisse la tête lorsque les clochettes marquent la communion. Après le *Ite, missa est*, l'orgue laisse éclater sa joie pendant que la nef se vide de ses fidèles. Aujourd'hui, les gens demeurent assis et souvent applaudissent la belle musique. Mais dans les années 50, on fait silence dans le temple de Dieu!

Très jeunes donc, ma sœur Francine et moi recevons quelques notions musicales grâce à notre maman qui nous les enseigne. Nous passons une audition devant la supérieure de

[63]

l'école Vincent-d'Indy, sœur Marie-Stéphane, afin d'y suivre des cours. Nos chances sont quand même grandes puisque maman a fréquenté la maison mère, rue Maplewood, pendant plusieurs années. Nos cours de piano se donnent le mardi en fin de journée, et le samedi est consacré au solfège et à la dictée musicale. Nous faisons la connaissance des sœurs Parent, Yolande et Marie-Danielle. Aujourd'hui, Yolande enseigne le chant à l'Université de Montréal et a toujours sa magnifique voix de soprano. Marie-Danielle a épousé le compositeur Denis Gougeon; elle chante les œuvres de son mari en récital. Elles possèdent un talent fou, ces filles-là.

Nous participons aux concerts de fin d'année en jouant chacune notre tour une pièce au piano devant un public formé de parents. Ainsi, dès l'âge de cinq ans environ, je foule déjà les planches.

Le marchand de sable

Le mardi soir après nos cours de piano, sur le chemin du retour, c'est silence complet dans la Parisienne de papa! On écoute *Le Marchand de sable* à la radio de Radio-Canada.

«Bonsoir les loupiots et les loupiottes!» dit le Marchand de sable, interprété par Henri Bergeron.

Ses personnages nous en mettent plein les oreilles, et la voix de M. Bergeron varie selon le personnage qu'il interprète. La voix grave du Marchand de sable laisse place à un tout petit filet de voix et c'est une aiguille qui nous parle.

Un soir, à la maison, j'aurai la surprise de ma vie lorsque j'entendrai une voix familière.

«Bonsoir Marcel, bonsoir Cécile!

– Hein! Je reconnais cette voix! C'est…

– Le Marchand de sable!» déclarons en chœur Francine et moi.

Et voilà qu'il nous prend toutes les deux dans ses bras puissants! Le Marchand de sable nous porte jusqu'à nos petits lits et nous borde en nous souhaitant bonne nuit!

«Le Marchand de sable est venu chez nous! Avons-nous rêvé?

– Pas du tout! répond maman le lendemain matin, au déjeuner. C'était Henri Bergeron et sa femme, Yvonne. Votre père travaille avec lui, à Radio-Canada.»

Papa n'a suivi qu'une première année d'études en médecine. Son nom s'est retrouvé sur la liste des recalés. Il est alors devenu professeur de mathématiques. Il enseigne au collège Brébeuf depuis quelques années lorsqu'il entre au service de Radio-Canada. À l'époque, il faut beaucoup de courage pour accepter une baisse de salaire d'environ 2 000 $ par an. Mais l'avenir de ce nouveau médium révolutionnaire attire bon nombre de travailleurs, rue Dorchester.

Papa arrondit la période des vacances scolaires en se faisant aller sur le pinceau en tant que peintre en bâtiment. Mais, pendant l'été 1956, il entre à Radio-Canada comme assistant technicien et se familiarise avec ce nouveau domaine. Il devient employé de la Société dès l'automne; pour boucler le budget amaigri de 2 000 $, maman retourne au travail, au bureau chef du Royal Trust, grâce à sa cousine Thérèse Legault, la fille de Bernadette, sœur de Marguerite.

Papa devient régisseur de plateau sur des émissions en direct comme *Opération mystère* avec la jeune Louise Marleau, Marcel Cabay et Yvette Brind'Amour. Celle-ci d'ailleurs manque y laisser sa peau! En entrant dans une fusée surchargée d'explosifs, la porte du canon cède et Mme Brind'Amour se retrouve par terre, légèrement sonnée. Le tout en direct bien sûr!

Papa travaille également sur le plateau du *Survenant*, avec le beau Jean Coutu et son inoubliable *«Never mind»*, le père Didace campé par Ovila Légaré, Bedette jouée par la toute jeune Marjolaine Hébert, et le père de Bedette, interprété par Georges Bouvier. Après avoir fait une scène en salopette, Bouvier oublie sa scène suivante qu'il doit jouer aussi en salopette, et va enfiler ses habits du dimanche pour aller faire «tirer son portrait». Comme Bouvier ne se présente pas sur le plateau, papa va le cueillir dans sa loge à la dernière minute et celui-ci arrive donc de l'extérieur sans son «capot» de poils et entre chez le père Didace, en chemise, pas trop habillé, en plein mois d'hiver!

«Voyons donc, son père! Si ça d'l'allure! Vous allez prendre froid! dit Bedette en improvisant.

– Prenez un p'tit remontant, l'père!» enchaîne le père Didace, en voulant sauver la scène.

Ah, les joies du direct! Henri Bergeron goûte également à la médecine sournoise du travail sans filet! Tout comme les émissions, les pauses publicitaires se faisaient sans possibilité de reprise. Pendant *Le Survenant*, Henri Bergeron annonce le tout nouveau Coke. Il prend une gorgée et doit dire: «À la bonne vôtre!»

Au moment prévu, papa donne le signal d'entrée, le *cue* à Henri Bergeron pour qu'il commence la publicité. Au moment où il ingurgite la boisson gazeuse, il s'étouffe en direct et est incapable de dire la moindre réplique! Dans ces moments de panique, il faut que l'équipe réagisse rapidement et que la caméra enfile avec la prochaine scène. Par hasard, maman est présente sur le plateau ce soir-là et fait la connaissance d'un Henri Bergeron bouleversé par sa mésaventure. Il redoute la réaction des dirigeants de la compagnie et craint de perdre le contrat de Coke. Mais le contraire se produit. Le regrettable incident devient le sujet de l'heure, fait la une des quotidiens jusqu'au *Time* qui titre: «*Coke and choke!*» Cette publicité éclatante et surtout gratuite fait en sorte qu'Henri demeurera le porte-parole de la populaire boisson pendant très longtemps. Et dire que le soir du drame, au cours d'une soirée de bridge, sa femme Yvonne gagne une caisse de... Seven-up!

C'est ainsi que papa et Henri Bergeron se lient d'amitié sur les différents plateaux de télévision; ils travaillent, entre autres, à l'émission que papa réalise, *L'heure du concert*.

Nous aurons l'occasion de prendre le train pour Québec un jour d'hiver, Francine, maman, Mme Bergeron et moi-même pour rejoindre papa et Henri Bergeron. Un second voyage se fera vers l'Estrie, au mont Orford, pour les Jeunesses musicales. Nous prendrons le téléphérique avec Mme Bergeron, car maman redoute l'escalade. Les enfants Laplante et Bergeron ne se rencontreront cependant jamais au cours de cette période. Qui aurait dit à ce moment-là qu'un jour je deviendrais la belle-fille des Bergeron en épousant Denys, leur fils!

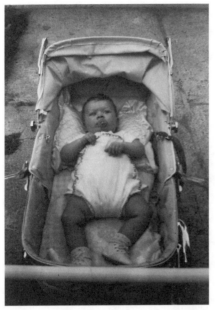

La «poupoune».

Maman Cécile et sa poupoune.

Papa Marcel et sa poupoune.

*Ma première sortie officielle!
Au collège de Saint-Hyacinthe, avec papa Marcel et maman Cécile.*

À un an, avec maman en croisière à Sorel.

*Je dors...
et Francine se marre!*

Les p'tites crinolines!

*Francine
et moi.*

*Francine (la patiente) et Lise
(le docteur). Plus tard, ma sœur
Francine deviendra infirmière.*

La maison de la rue Saint-Luc:
papa, maman, Francine
et moi, à ma confirmation.

À 6 ans, ma première communion.

Cécile, Marcel, Francine et moi
en voyage.

Notre smala
à la mer!
Francine, moi, Sylvie, Serge
et papa.

Chapitre 5

Au bord
de la mer

Sur un air de *La bonne chanson*

L a famille Laplante possède un impressionnant répertoire de chansons.
Une fois les enfants assez vieux et surtout en âge de
chanter, papa nous apprend plusieurs chansons extraites du
cahier de l'abbé Gadbois. L'harmonisation pour quatre voix
est de Conrad Letendre. Ces deux excellents musiciens ont
été les professeurs de musique de papa.

Mes sœurs, Francine et Sylvie, interprètent la partie soprano, je suis alto avec mon frère Serge, et curieusement le
plus jeune Stéphane chante la partie basse soutenue par papa.

«Bon, les enfants, on va faire de la belle musique!» s'exclame papa en ouvrant le cahier de *La bonne chanson*.

Même si les trois derniers de la famille ne savent pas
encore lire le solfège, ils retiennent l'enseignement du chef
d'orchestre. Papa chante les différentes parties et les enfants
enregistrent sans problème la mélodie.

«Attention! Deux, trois...» avertit papa en battant la
mesure.

> *«Quand j'étais chez mon père*
> *Apprenti pastouriau*

Il m'a mis dans la lande
Pour garder les troupiaux.
Troupiaux, troupiaux,
Je n'en avais guère
Troupiaux, troupiaux,
Je n'en avais biau.»

«Bon les enfants, on enchaîne avec *Margoton*. Êtes-vous prêts?»

Nous sommes tellement excités que l'exercice n'est pas une torture.

«Margoton va à l'eau
avec son cruchon (bis)
la fontaine était creuse
elle est tombée au fond
Aye, aye aye aye
Se dit Margoton.»

«Hon! J'm'é trompé! dit l'un de nous.
– Je me suis trompé», corrige papa.

Le bon parler français et les bonnes manières seront une priorité de la famille Laplante.

«Les enfants, vous allez apprendre une nouvelle chanson, *Dans notre Laurentie*», exulte papa.

En deux temps, trois mouvements, nous apprenons cette mélodie, plus lente que d'autres plus rythmées.

«Vous commencez très doucement en gardant bien la note pour lier le tout», recommande notre professeur.

«Quand notre Laurentie
se glisse dans la nuit (bis)
Vers un ciel blanc d'étoiles
Comme en un pré fleuri
Monte un puits de lumière
Que le vent reconduit.»

Que c'est beau!

Lorsque le temps des fêtes arrive, notre petite chorale présente son tour de chant aux oncles et tantes réunis. Nous vivons des Noëls et des jours de l'An uniques! Les cadeaux s'empilent au pied du sapin et près de la crèche du petit Jésus de cire. Nous allons tantôt chez tante Margot et oncle Roger Corbeil, tantôt chez tante Alice et oncle Paul, tantôt chez oncle André qui a quitté sa chambre au sous-sol pour épouser tante Odette. Les menus sont invariables: ragoût de boulettes et tourtières, dinde et tête fromagée. Mais lorsque notre smala (toute notre famille) se retrouve chez oncle Michel et tante Betty l'Italienne, on pique cette fois nos fourchettes dans une savoureuse lasagne. Des pâtes! Mon rêve!

Vive les vacances!

«Sur la route de Berthier, il y avait un cantonnier…»

Nous chantons notre excitation tout en roulant non pas en direction de Québec mais bien en direction de Wildwood Beach. Entassés dans la Parisienne noire, nous mettons toutes voiles dehors vers le soleil, la mer et la liberté. Vive les vacances! À minuit pile, tirés d'un premier sommeil, nous rejoignons notre deuxième couchette cette fois sur roues, la Parisienne prête pour le grand départ vers les États-Unis. Derrière nous, le *station wagon* de la famille Corbeil suit notre clan. Nos cousines Linda, Patsy, Johanne, notre cousin Roger junior se retrouvent à bord de la familiale avec leurs parents, tante Margot et oncle Roger, au volant.

«On va s'arrêter bientôt. Les enfants ont faim. Dix quatre!»

On communique d'une auto à l'autre par walkie-talkie. Nous sommes modernes, organisés, les valises remplies et les paniers de pique-nique itou.

[75]

Mais on n'a pas encore atteint les lignes américaines que, déjà à 1 h du matin, dans le bout de Laprairie, les sandwichs ont disparu! La routine, quoi!

Pendant les huit à dix heures que dure le périple, nous restons sages comme des images. Même si le pied de ma sœur se retrouve sur la tête de mon frère, qu'une main endormie pendouille au-dessus de mon nez et que l'habitacle prend la forme d'une salle de concert de ronflements et autres bruits suspects! Nous savons tous pertinemment qu'au bout de la route les sardines que nous sommes retrouveront formes humaines et liberté en guise de récompense ultime!

Nos parents réussissent l'incroyable tour de force de nous payer des vacances à l'hôtel, trois repas par jour pour une semaine. Papa décrète que notre maman a droit à un repos bien mérité, loin des chaudrons et de la sempiternelle vaisselle!

Ah, les vacances au bord de la mer américaine où son maigre dollar vaut 80 sous canadiens! Aujourd'hui, la valeur de notre devise a drôlement maigri... Chaque enfant dépense un petit pécule amassé tout au long de l'année, ce qui peut représenter la fabuleuse somme de 20 $. En 1964, le montant est tout de même appréciable!

Nous nichons dans une suite comprenant deux salles de bains. Le grand luxe! Curieusement, un menu varié est offert à la salle à manger, et la nourriture américaine nous rappelle celle de chez nous. Un copieux déjeuner de crêpes épaisses au sirop du Vermont remplit nos estomacs d'enfant. Je ne me souviens pas d'une nourriture grasse, bien au contraire. Le chef sert une nourriture familiale saine et relativement équilibrée. Je me rappelle les énormes melons d'eau, les cantaloups savoureux qui occupent la table des desserts. La propriétaire de l'hôtel nous prépare avec plaisir un panier de pique-nique garni de sandwichs au jambon et fromage lorsque nous quittons à regret son établissement.

L'hôtel a pignon sur rue tout près du *boardwalk*, qui étend son trottoir de bois en bord de mer. Pour nous, enfants de la rue Saint-Luc, c'est le paradis: du soleil, du sable à perte de vue, des manèges et des jeux d'adresse, des boutiques et de la barbe à papa! Nous fréquenterons le même hôtel plusieurs années de suite. À 13 ou 14 ans, ma sœur Francine, mes cousines et moi rivalisons à coup de rimmel, de rouge à lèvres et d'arc-en-ciel sur les paupières. Il faut travailler habilement du pinceau et de la brosse à cheveux pour entrer dans la discothèque du coin. Ma sœur Francine, la plus jeune des quatre, et Linda, l'aînée des cousines, passent facilement sous le regard du portier, tandis que moi et ma cousine Patsy sommes refoulées sans pitié sur le trottoir! Notre transformation capillaire, nos talons illusions et nos cartes trafiquées n'ont, de toute évidence, pas convaincu le *doorman* américain.

«*Sorry girls! Maybe next year*, répond-il en refermant la porte derrière lui.

– *But sir…* eh, sainte! Qu'est-ce qu'on fait Patsy?

– On r'tourne à l'hôtel, c't'affaire!»

Nos journées se passent allongées sur des serviettes de plage colorées, offrant au soleil nos corps huilés, prêts à rôtir comme des côtes levées. Les cousines, Francine et moi donnons plutôt dans le style filiforme, poitrine et ventre plats et cage thoracique du genre squelette décharné. Nos minces silhouettes laissent bien indifférent le jeune Américain au crâne rasé, aussi maigrichon que nous.

Nos séjours se terminent toujours trop vite et les voitures se remplissent à nouveau, cette fois de visages bronzés, de flotteurs de plastique, et bien sûr la chanson aux lèvres:

«*C'est un "m" un "e" un "r"*
c'est un "c" avec un "i"

rassemblez toutes ces lettres
vous y trouverez: merci, merci, merci!»

À part bien sûr le temps des fêtes, ces vacances estivales sont un moment privilégié de l'année où notre clan s'éclate joyeusement. Cette escapade américaine représente la liberté la plus pure. Il n'y a jamais de complications, ni d'ennuis ni de disputes. C'est un bonheur simple, tranquille et rassurant. Je me sens encore plus près de mes parents, de mes frères et sœurs que tout le reste de l'année. On a beau avoir l'habitude de vivre à huit dans la petite maison de la rue Saint-Luc, le fait de s'entasser les uns sur les autres dans la voiture pendant des heures et des heures vers un paradis ensoleillé rend l'aventure plus exaltante.

Le premier baiser

«Tiens, v'là Laplanche!»

C'est ainsi qu'on me surnomme à l'école secondaire. Comme la nature n'a pas encore gonflé le devant de mon anatomie, les garçons m'appellent non pas par mon nom de famille, Laplante, mais par un mot plus commun et plus descriptif: la planche!

Un gars en particulier en remet:

«C'est-y pas la planche à r'passer qui arrive!»

C'est l'hystérie générale, quoi! On se bidonne pendant que je passe dans la cafétéria le nez dans mon sandwich.

Comme d'habitude, je ne dis pas un mot. Mais au fond, je suis profondément blessée. Il est vrai que, pour le moment, mon attelage voisine les 32AA! La mode est aux chemisiers gaufrés qui moulent joliment les formes féminines. Je remarque une fille qui ose porter sa blouse rose bonbon sans soutien-gorge. Inutile de vous dire qu'elle est très populaire dans la jungle masculine. Pour ma part, je laisse les jeunes singes pas mal indifférents! Sauf un.

Je ne me rappelle plus exactement où je l'ai rencontré. Sans doute au cours d'une de ces soirées de danse dans un sous-sol d'église, où les slows collés sont chaperonnés par des parents qui voient à ce que les danseurs émoustillés gardent leurs mains au bon endroit. Ou peut-être dans une boîte à la mode à Montréal où l'alcool est interdit le samedi après-midi pour accueillir les jeunes de 12 à 16 ans. C'est à cet endroit que je vois pour la première fois des Noirs danser divinement sur une musique de James Brown.

Il s'appelle Gilles Quesnel. Un beau brun frisé qui sent bon l'eau de Cologne.

J'ai 14 ans, lui 15. Il m'embrassera pour la première fois pendant une danse, et ce sera le premier vrai baiser de ma vie! Il a la délicatesse de me reconduire chez moi, à Laval, en autobus, lui qui habite Notre-Dame-de-Grâce. Chaque sortie se termine… dans le vestibule chez mes parents. Il est très respectueux et garde les mains autour de ma taille pendant qu'il m'embrasse longuement. Nous ferons quelques sorties ensemble, puis un jour je n'aurai plus de nouvelles de lui comme ça, bêtement.

J'ai ma première peine d'amour. Je pleure à chaudes larmes, mais le déluge est de courte durée. J'ai tendance à tourner la page assez rapidement. Toutefois, sur le coup, j'aurais bien composé son numéro de téléphone, mais maman m'a expliqué qu'on ne se pend surtout pas après un garçon. Après chaque déception amoureuse, maman termine toujours son discours de la même façon: «À ta place ma p'tite fille, j'y f'rais sauter l'bas d'porte!» c'est-à-dire je le laisserais tomber, quoi!

Je me rends compte que je ne suis plus une petite fille. Je ressens de nouvelles émotions. Mon corps se transforme, lentement je dois l'admettre, mais quelque chose de nouveau et de puissant germe en moi et prend forme, le sentiment d'amour. C'est troublant et fascinant à la fois. Pour la première fois, un garçon m'a prise dans ses bras et m'a embrassée, et j'ai aimé cette nouvelle chaleur dans mon corps.

Un Mont-de-LaSalle très secondaire!

Je pourrais qualifier mes années passées au secondaire de... très secondaires! Après une année infructueuse au cours classique, je suis décalée au scientifique et, par la force des choses, je change d'école. Je me retrouve à Sainte-Domicile, là où l'on garde les récalcitrantes dans une aile spéciale! Ce panier d'indésirables, garni de filles adoptées ou rejetées par les parents, des fortes têtes et des fugueuses, fait la réputation de l'école tenue par des religieuses. Un dur choc pour la petite Laplante qui ne connaît que le calme, l'ordre et l'amour parental depuis sa naissance. Je passe mon tour en ce qui concerne la désobéissance et je me tiens loin des fumeuses dans un coin de la cour de récré. Ma timidité étouffe la moindre incartade et je conserve mon statut de «p'tite peureuse». Après cette année probatoire, j'entre au Mont-de-LaSalle où je terminerai les dernières années du secondaire. Trois années parfumées de révolte scolaire, couronnées de pancartes aux effluves de soulèvements et d'une pointe d'anarchie. Le vent tourne, mon comportement aussi!

Lentement, je glisse l'orteil dans le mouvement contestataire, qui marque l'agonie des années 60. Ma timidité se dissout dans le courant de la dissidence pédagogique et ma voix s'unit à celles de Paul Piché, celui-là même qui deviendra un merveilleux auteur-compositeur, et des autres étudiants. Pendant notre pause sandwichs à la cafétéria, un étudiant vêtu d'un sarrau blanc entre sur un chariot à roulettes et expédie un crachat d'encre sur une murale de papier; l'effet du peintre sans pinceau est sidérant!

Je suis perplexe et du coup piquée d'une envie de création sûrement moins révolutionnaire, mais néanmoins valorisante. Je sors crayons et fusain et je m'exécute, non pas sur la place publique, mais dans le sous-sol familial.

Mon choix au collégial se dessine peu à peu et en 1970 je m'inscris pour la session automnale à Vincent-d'Indy, lieu de mes premiers pas dans la musique à l'âge de cinq ans. Lors d'un concert qui marque la fin du secondaire, je fais mes adieux au Mont-de-LaSalle en interprétant *Scènes d'enfants*, de Debussy, au piano.

Pour résumer cet entracte scolaire, je dirais que mes études furent bien ordinaires, tout juste pour passer, quoi! D'ailleurs, les professeurs normalisent nos notes de fin d'année et nous sommes les premiers surpris, en voyant un 60 en maths dans le bulletin!

Chapitre 6

Et la gagnante
est...

Un collège haut perché

J'attends en ligne à la sortie du métro Laurier. Il fait un froid de canard. Mon manteau de cuir craque de frissons et mes pieds martèlent la croûte de glace en attendant l'autobus 51 qui me déposera avenue Vincent-d'Indy, coin Édouard-Montpetit, où j'escaladerai encore une fois la maudite côte pour atteindre l'école de musique des sœurs Jésus-Marie. Je me suis inscrite en musique au niveau cégep, avec concentration piano. En 1970, le métro ne se rend pas encore jusqu'à l'Université de Montréal.

Les portes éclaboussées de gadoue brune s'ouvrent enfin et les passagers, pour la plupart des étudiants, s'empilent rapidement dans l'autobus.

«Avancez en arrière!» crie le chauffeur aux idiots qui bloquent l'allée.

Lorsque le dernier usager réussit à poser l'orteil sur la première marche à l'entrée de l'autobus, le chauffeur lance sa tirade coutumière avant de refermer les portes: «Attention à vos os, *watch your bones!*»

Je fais le même trajet, matin et soir, depuis le mois de septembre. Le premier autobus enjambe la Rivière-des-Prairies,
emprunte le pont Viau et me dépose au métro Henri-
Bourassa. Le wagon roule ensuite jusqu'à la station Laurier,
et finalement l'autobus 51 file jusqu'à l'école Vincent-d'Indy.
Jusque-là, la routine serait supportable, s'il ne fallait pas grim-
per la fichue côte pour atteindre l'école nichée aux flancs du
mont Royal. Le plus frustrant pour les étudiants qui se far-
cissent l'abrupt chemin chaque jour est de voir passer à toute
vitesse la Barracuda jaune canari d'un fils à papa sans qu'il
ait la bonté de ramasser un grimpeur en passant. Je peste intérieurement contre ce sans-cœur efflanqué. La tempête, le
froid ou l'orage n'arrêtent pas l'animal et son engin de tôle,
au contraire, son pied écrase l'accélérateur pour réussir la montée d'un seul coup! Une horreur, je vous dis!

Enfin, j'arrive le cœur dans la gorge, en sueur mais heureuse de pouvoir fouler le cénacle musical, reconnu pour son
enseignement et son corps professoral. J'y ferai mes deux années de cégep dans une ambiance stimulante, entourée d'étudiants talentueux. Nous monterons la comédie musicale *Jesus
Christ Superstar* en spectacle de fin d'année. C'est la première fois que je foulerai une scène, dans le rôle de la narra-
trice. Je me familiarise avec la technique du microphone. Je
me sens très à l'aise devant la foule venue entendre les étudiants en concert.

Je revois mes amies d'enfance, les sopranos Marie-Danielle
et Yolande Parent, et je fais la connaissance de nouveaux étudiants: le compositeur Denis Gougeon qui épousera Marie-
Danielle Parent, le chef d'orchestre Mario Bruneau. En classe
d'acoustique, je croise, entre autres, un flûtiste, Alain Bergeron,
qui deviendra un jour mon beau-frère!

Après avoir connu des années de secondaire en dents de
scie, je plonge dans des eaux plus limpides. Ma route se dessine

enfin devant moi. Je serai concertiste. Je sillonnerai le monde entier en faisant résonner les notes de piano et les battements de mon cœur. Est-ce que vous pariez un cinq là-dessus?

Un travail d'été aux premières loges

«Division des spectacles, bonjour!» Je serine ces mots à chaque appel reçu au bureau de la Division des spectacles, installé dans l'île Sainte-Hélène, juste à côté de la fameuse Place des Nations, construite pour Expo 67.

Nous sommes à l'été 1972 et, pendant les vacances, grâce à papa, je deviens réceptionniste dans le bureau principal qui chapeaute tous les spectacles donnés aux différents endroits du site de l'Expo: le Kiosque international, la Ronde, la Place des Nations, etc.

La musicienne pianote joyeusement sur l'imposant clavier composé de touches lumineuses et dirige minutieusement les appels dans les bureaux appropriés.

Mes supérieurs hiérarchiques sont André Morin, réalisateur à Radio-Canada, et le chanteur Yoland Guérard. Les employés de l'organisation sont tous des gens du milieu de la télévision et de la scène. Par conséquent, je fais la connaissance d'Yves Guérard, le fils de Yoland Guérard, de Claude Taillefer, réalisateur pour Télé-Métropole, de Jean-Marie Grimaldi, le fils de Jean Grimaldi, qui est notre coursier de service, de Gaby Loranger, éclairagiste pour Radio-Canada, du grand Gérard Souvay, technicien à la Place des Arts, et j'en passe.

Tout ce beau monde entre et sort continuellement du bureau principal, et s'active à la préparation des différents spectacles présentés au cours de la saison estivale. Et quel été mémorable nous connaîtrons!

«Oui, monsieur le maire Drapeau, je vous mets en ligne avec monsieur Guérard!»

«*Of course your limo is on its way! Have a nice day Mister Anka!*»

Les plus grandes vedettes défilent dans mon bureau et je serre la main à quelques-unes d'entre elles. Comme je l'ai déjà mentionné, les plus grands sont les plus humbles! Je constate la véracité de cette affirmation lorsque Paul Anka, Ozzy Osbourne – alors membre de Black Sabbath – et Tino Rossi se pointent gentiment dans notre petit univers.

Certaines stars bien sûr gardent leurs distances. Les Jerry Lewis et Ann Margaret de ce monde se contentent de sauter de leur limo sur la scène et de reprendre la route de l'aéroport une fois leur prestation terminée.

Le bureau vivra un cauchemar lorsque le producteur Roy Cooper oubliera les réservations d'hôtel de toute la troupe de *Jesus Christ Superstar*. En dernier recours, les artistes dormiront dans une école, les hôtels de Montréal étant remplis à craquer!

Je me lie d'amitié avec les secrétaires du bureau. Celles-ci rivalisent en affichant différentes perruques et les fameux *hot pants*. Je ne suis pas en reste et, un matin, j'arrive affublée d'une rouquine perruque bouclée, de *hot pants* et de bottes de cuir style «louve des SS», quoi! On se marre entre nous, mais j'ai tout de même une recommandation de la part de mon patron André Morin, je dois m'afficher au naturel sans trop d'artifices. Les vedettes sont sur la scène, pas dans le bureau! J'ai compris! Notre baromètre de service pour évaluer le moral des troupes sera Yoland Guérard. Si le climat est au beau fixe au bureau, sa belle voix de basse vocalise joyeusement et réussit à faire vibrer les vitres de l'immeuble. Par contre, nous assistons à un véritable tremblement de terre lorsqu'un idiot ou une écervelée n'a pas respecté ses engagements…

C'est *La Tempête* de Shakespeare! Le personnage est adorable et fait passer ses émotions en chansons et en tirades variées. Je suis impressionnée, souvent interdite et parfois passagèrement sourde. Le monde est si petit que Denys travaillera un jour avec Yoland Guérard au *Travail à la chaîne*, à l'antenne de Radio-Canada. Pour ma part, je retrouverai M. Guérard dès l'automne suivant.

Ce bureau se trouve en bordure du fleuve et attire une vermine étonnante. Je parle de petits rongeurs et surtout de gigantesques araignées. Or, j'ai une phobie des araignées. Pourquoi faut-il qu'elles se retrouvent toujours autour de moi?

Un matin, encore endormie dans mon lit, je sens quelque chose sous les draps. En poussant les couvertures, j'aperçois une énorme chose velue et noire sur ma cuisse. Je lance un épouvantable cri de mort!

«Bon! C'est sûrement une araignée!» dit maman en entendant le drame au sous-sol.

Mais revenons à la Place des Nations. Pour atteindre mon bureau de réceptionniste, je dois franchir une entrée de ciment humide où crèchent d'horribles araignées poilues. Elles tissent d'énormes toiles blanches, parsemées d'insectes emprisonnés, c'est leur garde-manger – une décoration dont je pourrais bien me passer. Mais mon regard hypnotisé ne peut se détourner de la porte d'entrée parée de la vilaine broderie et je peste en silence chaque fois que je dois y passer le pied. Une terrible phobie que je soignerai plus tard…

L'été 1972 passe en coup de vent et je reprends le chemin de Vincent-d'Indy. Un jour, une petite annonce lue par hasard dans un hebdomadaire pique ma curiosité et, par le fait même, éperonne ma timidité.

Un concours de Miss

«Et la gagnante est...» Le maître de cérémonie, Yoland Guérard, marque une longue pause dramatique avant d'enchaîner. Le public retient son souffle et les 10 finalistes en tenue de soirée, alignées sur la scène en rang d'oignons, frôlent l'évanouissement.

Le suspense est atroce! Nous assistons aux ultimes secondes du huitième concours Miss Laval. Quelle aventure que celle-là!

Chaque concurrente doit présenter un numéro de danse et deux autres de variété dans son domaine respectif. Je choisis deux compositions de mon cru au piano, accompagnée par un merveilleux orchestre dirigé par Claude Émond, secondé par nul autre que Jacques «Coco» Laflèche qui sera le chef d'orchestre attitré de l'émission de Michel Jasmin, plus tard.

Les répétitions vont bon train. Nous faisons des apparitions à l'émission *Parle, parle, jase, jase* pour mousser la publicité du concours, bref je me suis embarquée dans un concours de Miss! Le *Courrier Laval* est l'instigateur de l'événement. Mme Lise Blouin-Dallosto est directrice de l'hebdomadaire. Nous avons droit à des cours variés avant le grand jour; cours de personnalité avec Jean-Guy Lebœuf qui nous claironne joyeusement: «Arrêtez d'avoir peur et croyez au succès!»; cours de danse avec Michel Boudot; séances de maquillage et de photos, enfin toutes les clowneries habituelles des concours de Miss.

Maman me fait bien comprendre les hauts et les bas d'un tel événement et je saisis bien le tableau avant de poser ma candidature. Je tiens à vivre l'aventure et, par le fait même, à mettre ma timidité au défi.

Le jury se compose de personnalités du monde artistique et, après la dernière prestation, les jurés se retirent pour déli-

[88]

bérer. Qui gagnera le trophée de la jeune fille la plus gentille du groupe? Qui remportera le titre de Miss Laval VIII et les prix qui y sont liés? Une garde-robe, un voyage, une bague de diamants, alouette, ah!

«Et la gagnante du trophée de la jeune fille la plus gentille du groupe est: Lise... Dumont!» Ouf! C'est l'autre Lise!

«Et la grande gagnante du Concours Miss Laval 1972 est: Martine Carle!»

Musique! Cris! Excitation! Bonheur! Larmes! Joie! Tout y passe, madame! On encercle la lauréate et un photographe croque la photo qui fera la une le lendemain, photo où je félicite la gagnante.

Honnêtement, je suis très heureuse pour elle. Je ne ressens que de la joie et de la fierté. J'ai passé à travers l'épreuve avec aplomb et détermination et surtout beaucoup de lucidité. Que le concours ait été arrangé ou non, je m'en fiche, même si certains rugissent déjà leur désapprobation en coulisse. Une fraction de point nous sépare, Martine Carle et moi. J'arrive deuxième, quoi! Au fond, je considère que j'ai emmagasiné un bagage intéressant qui me sera utile en temps et lieu.

«Je voudrais, intervient Serge Laprade, offrir à Lise Laplante une série de 13 émissions sur les ondes de CKLM, comme animatrice.»

La foule crie bravo et applaudit chaleureusement le geste spontané d'un des jurés qui remet un prix de consolation de dernière minute.

Je fonds en larmes! C'est mon tour maintenant. Je crois rêver! Et les filles se regroupent en pleurant, en riant, et les membres du jury nous encerclent à leur tour pour la photo officielle. *The end!*

Elles vivront heureuses, particulièrement Lise Laplante qui trempera bientôt ses jeunes pieds dans un studio de radio. Quant à la chanteuse et grande gagnante, Martine Carle, elle a sûrement emprunté un sentier plus ombragé, car elle n'a jamais fait carrière dans le merveilleux monde du showbiz. Une autre participante, Nicole Vachon, sera professeure de danse pour les Grands Ballets canadiens.

Combien d'artistes sont passés par les concours de Miss. Je pense en particulier à Dominique Dufour, qui a été couronnée Miss Laval, ensuite Miss Canada, pour terminer au concours Miss Univers comme représentante du Canada. En ce qui me concerne, ce concours a été, en quelque sorte, la bougie d'allumage qui m'aura fait sortir de ma coquille. Quelle qu'en soit l'issue, le défi nous pousse au dépassement, surtout à un âge où l'on commence seulement à se connaître soi-même.

Derrière le microphone

Depuis l'automne 1972, je travaille pour la station CKLM grâce à Serge Laprade, directeur des programmes. Après avoir été animatrice aux côtés de Robert Arcand, je deviens, tour à tour, Miss Météo en janvier 1973 et, plus tard, Miss Circulation, tout en poursuivant mes études à Vincent-d'Indy. Vous pensez sans doute que je sillonne le ciel de Montréal et des environs à bord d'un pétaradant hélicoptère pour donner mes rapports de circulation en direct. Point du tout, madame! J'avoue bien humblement que je suis installée à bord de… mon lit! J'écoute secrètement Rick Leckner, de son Jet Ranger faire ses topos de circulation sur les ondes de CJAD, j'appelle ensuite la mise en ondes de CKLM et l'animateur Yves Corbeil dit:

«Un petit tour en l'air avec notre reporter à la circulation Lise Laplante. Lise, quelle est la situation présentement?»

Un matin, je déclare tout de go:

«Yves, c'est la catastrophe! Une maison est en panne sur l'autoroute Décarie!

– Est-ce que j'ai bien entendu, une maison en panne?

– Oui, mon cher Yves, une maison préfabriquée montée sur une remorque gigantesque bloque en ce moment deux voies à la hauteur de Jean-Talon en direction sud. Prenez, chers auditeurs, votre mal en patience.»

Je n'avais eu qu'à répéter les propos de Rick Leckner à l'animateur George Balcan: *«It's unbelievable! There's a house stalled on Decarie Boulevard!»*

Après mon intervention radiophonique, je déguste mes rôties-beurre d'arachide et j'avale mon café en écoutant la suite de l'émission à CJAD!

Par un lundi matin ensoleillé du mois de mai, je recommence machinalement mon cirque radiophonique. J'appelle la mise en ondes pour un premier rapport de circulation. Je n'écoute évidemment pas CKLM, car je dois suivre attentivement les propos de Rick Leckner sur les ondes de CJAD.

«Bonjour Yves, c'est Lise pour la circul.

– Désolé Lise, mais c'est Denys Bergeron en ondes ce matin et pour le reste de la semaine. Je remplace Yves Corbeil.»

Je me revois dans la salle des nouvelles de CKLM, quelques mois plus tôt.

J'ai les yeux rivés sur le fil de presse, lorsqu'il entre dans la salle. C'est le petit nouveau qui arrive de Windsor et qui anime dorénavant la nuit à CKLM. Sa voix est posée et très radio-canadienne. Il parle avec un sourire coquin accroché au visage.

«Bonjour! Je me présente, Denys Bergeron.»

Ce visage m'est familier. Mais bien sûr! J'aurais dû le deviner tout de suite! Ce Denys Bergeron ressemble à Henri Bergeron, que j'ai connu à l'âge de cinq ans chez mes parents. Spontanément, je lui dis:

«Mon père a déjà travaillé avec ton père.

– Et tu t'appelles?

– Ah, mais oui, bien sûr, mon nom! Lise Laplante!»

Je lui bredouille sottement cette réponse en arrachant la feuille jaune du fil de la Presse Canadienne.

Quelle idiote je fais! Nous parlons encore quelques secondes et il tourne les talons avec une assurance et une suffisance qui me déplaisent.

Quelques semaines plus tard, on se recroise à la sortie de l'ascenseur dans l'immeuble, rue Sainte-Catherine, où sont les studios de CKLM. Cette fois, l'ex-animateur de Radio-Canada Windsor porte nonchalamment un imper sur les épaules, et fait virevolter son parapluie. Décidément, son attitude me tombe sur les nerfs! Quel toupet, et quel nez en l'air, me dis-je, en le saluant poliment.

Un après-midi, alors que je suis dans un des studios de CKLM pour des enregistrements publicitaires, il entre discrètement dans le petit local de son et s'assoit devant moi. Il a toujours son sourire narquois et rieur, mais je remarque maintenant ses yeux, car ils se trouvent à la hauteur des miens.

Je ressens une agréable chaleur monter à l'intérieur de mon corps. Il me parle doucement, tranquillement, en portant attention à ce que je peux lui dire, c'est-à-dire rien de particulièrement intéressant! Ses yeux noisette, surmontés de larges sourcils foncés, me troublent délicieusement.

Et voilà qu'on travaille maintenant à distance tous les deux, pendant une semaine. Le vendredi matin, après mon dernier rapport de circulation, Denys me demande de ne pas raccrocher. Pendant une pause publicitaire, il me dit:

«Je termine aujourd'hui et je pars en vacances. À mon retour, on ira prendre un pot ensemble, OK?

– OK! Bonnes vacances!»

Je raccroche en me disant qu'il lance cette invitation par politesse.

Chapitre 7

Bobino
et Bobinette

Nom d'une Bobinette, prise 1

L e wagon du métro roule en direction de la station Laurier où je descends tous les jours pour aller à mes cours à Vincent-d'Indy. Je repense à ce que mon père m'a offert la veille:

«Écoute Lise, j'ai un pépin en studio; Paule Bayard est entrée d'urgence à l'hôpital et il reste 14 émissions à enregistrer. Comme tu imites Bobinette, pourrais-tu me dépanner et faire les derniers enregistrements?»

Papa signe la réalisation de l'émission *Bobino* depuis quelques années et je m'amuse parfois à imiter la célèbre marionnette; mais de là à dire un texte et à manipuler ladite Bobinette simultanément, en studio, face à la caméra, il y a un monde tout de même!

«Non, papa. Je ne me sens pas capable de faire ce que tu me demandes. Ma vie c'est la musique, je veux devenir concertiste, et je ne me vois pas du tout derrière un castelet à faire le guignol.»

À bord du train souterrain, ma tête raisonne: «Non j'peux pas, non j'peux pas, non j'peux pas...» et le rythme du wagon sur les rails insiste: «Oui tu peux, oui tu peux, oui tu peux…» Et voilà que je me lève spontanément. Je descends à la station suivante, Crémazie. Je me précipite sur le premier téléphone public et je compose un numéro.

«Papa, est-il trop tard? que je lui demande, essoufflée.

– Non, j'allais justement appeler l'Union des artistes pour…

– OK, papa! Je vais essayer!»

Le reste de la journée est un vrai cinéma! Je rencontre Guy Sanche à la maison, chez mes parents, et nous lisons un texte de *Bobino*. Le premier contact est chaleureux, nous sympathisons rapidement. La simplicité du célèbre personnage de mon enfance calme du coup mes appréhensions les plus folles. Entre deux bouffées de cigarette Bastos, Guy déclare que ça va aller. Oui! Encore faut-il manipuler la marionnette! Ensuite, je dois aller chercher dare-dare deux permis à l'Union des artistes pour le studio le lendemain matin. En route vers le centre-ville, Guy et moi essayons de trouver un nom à la nouvelle et jeune comédienne qui va remplacer Paule Bayard, c'est-à-dire moi!

Marcel Laplante, mon père, travaille pour la Société Radio-Canada et ne doit pas engager un membre de sa famille. Donc Lise Laplante, il n'en est pas question.

Guy insiste pour que nous trouvions un prénom et un nom à deux syllabes comme Greta Garbo, Betty Davis, ça sonne mieux. Je me souviens d'un garçon, au secondaire, qui s'appelait Lamer, et je lance: «Lamer!» Guy enchaîne en disant: «Christine!», puis il éclate de rire: «Lamer Christine! On va retenir ce nom-là!» *Welcome* Christine Lamer!

De retour à la maison, j'enfile une Bobinette que papa a récupérée et je tente quelques manipulations derrière le bar du sous-sol, pendant que papa m'explique les rudiments de la télé. Ouf! Que viens-je faire dans cette galère! Je ne dors pas de la nuit. Je suis convaincue que mon bras droit ne tiendra pas le coup… et le corps de Bobinette!

J'ai 19 ans, comme le dira Guy Sanche plus tard: «On l'a prise la couche aux fesses.»

Je ne connais strictement rien à la télévision, avec son charabia technique; je déchiffre habituellement des notes, pas un texte, et je manipule chaque jour un clavier, pas une marionnette. La pianiste s'enferme normalement seule avec son piano dans un studio d'exercice, à Vincent-d'Indy; comment va-t-elle composer avec l'inconnu d'un studio de télé? Obtiendra-t-elle sa note de passage?

«*Stand by*, studio 55! Dans trois, deux, un», dit le régisseur.

Je suis derrière le castelet, une Bobinette enfilée au bras droit et la seule pensée qui fait surface est: «Vas-y ma Bobinette, fonce!»

Et la Bobinette entre en riant et s'exclame: «Bonjour les amis», et la suite du texte se passe en un éclair. Nous enchaînons aussitôt avec le second enregistrement et les deux émissions sont ensuite visionnées par la direction.

«Une Bobinette à son meilleur. Qui est cette Christine Lamer?» demandent les gens de la section jeunesse.

La rumeur court que je suis la maîtresse de Marcel Laplante. Pauvre papa! Je crois que celui qui était le plus stressé des deux en studio, c'était lui! Il ne tenait pas en place! Heureusement que Mme «Dudu», surnom affectueux donné par mon père à son assistante Thérèse Dubhé, veille à la bonne marche des enregistrements. «Le patron», c'est ainsi que son assistante Thérèse appelle papa, a l'attitude d'un homme qui a effectivement l'air de faire travailler sa maîtresse. Nerveux, tremblant, en sueur, il aurait facilement mangé sa cravate, sa chemise et les boutons avec, tellement le trac l'envahissait. On ne lui connaît pas ce genre de comportement, lui le réalisateur aguerri, maîtrisant d'habitude parfaitement son plateau et lui-même. De mon côté, je me dis que je n'ai rien à perdre et que c'est une merveilleuse expérience. Je fonce naïvement tête première, c'est tout!

On laisse bien sûr les gens sur leurs interrogations, et je termine la saison de *Bobino*. Mais il y a quand même des personnes dans le secret, en plus de Guy et papa: ma famille, l'auteur Michel Cailloux et Thérèse Dubhé, la script-assistante de papa pour l'émission. Il aurait été opportun de mettre au parfum les patrons, mais papa a opté pour le silence, et j'ai été réengagée pour la saison suivante.

Le cœur en plein soleil

Le téléphone vibre et personne ne prend l'appel. Le répondeur n'existe pas encore, du moins pas dans les résidences privées.

«Y a quelqu'un qui peut répondre?» crie maman, les mains sans doute dans l'évier de la cuisine.

Je laisse sonner deux autres coups. On insiste, ma parole!

«Oui allô?

– Bonjour! Denys Bergeron à l'appareil. Je suis de retour de vacances et, tel que promis, je t'invite à boire un pot.»

Je crois rêver, là! Il a tenu parole! Je tombe carrément en bas de ma chaise! Je bredouille que j'accepte avec plaisir et qu'il peut me prendre vers 19 h, à la maison. J'habite Laval-des-Rapides, de l'autre bord du pont Viau, c'est ça tu tournes et t'arrives. À tantôt. Je reste bouche bée!

Le gars qui habite Outremont se pointe avec quelques minutes de retard et sonne à la porte lavalloise. Mes parents sont absents, si bien que c'est grand-mère Marguerite qui assure la relève:

«Tu reviens avant 11 h», tranche-t-elle.

Je souris timidement et j'aperçois, garée en face de la maison, une bagnole que je n'ai jamais vue de ma vie! J'apprends, en m'assoyant, que la décapotable jaune crème est une Triumph TR6 surnommée «boule de gomme». Pour l'occasion, je porte une jupe de toile blanche à larges plis, un chemisier coloré et un débardeur jaune sans manches. De son côté, il a mis un jeans et une chemise toute simple, et a des sandales aux pieds.

À ma grande surprise, nous entrons dans le restaurant La Catalogne, dans le Vieux-Montréal. Pour moi, prendre un pot se résume à boire un verre dans un bar. Denys s'excuse de n'avoir pas été plus précis et commande une entrée pendant que je me contente d'un Cinzano, puisque j'ai déjà mangé à la maison.

La soirée est très agréable. Nous parlons de nos familles, du boulot et je remarque que Denys n'a pas la même attitude qu'au travail. Il a laissé tomber son air suffisant, un peu au-dessus de ses affaires. Il a de belles manières à table, emploie un vocabulaire étoffé, et me questionne plus souvent qu'à mon tour. Il décèle rapidement ma timidité et tente de percer mon coffre à secrets. Il lui faudra plusieurs années avant d'y arriver!

Depuis que je sors avec des garçons, c'est bien la première fois qu'on ne s'embrasse pas le premier soir. Pas même une bise sur la joue. Rien! Comme si ma timidité était devenue subitement contagieuse.

On se laisse gentiment avec la promesse de se revoir le lendemain.

Ce sera un merveilleux enchaînement de sorties quotidiennes pendant tout l'été. Et quel splendide été nous vivrons ensemble!

Deux semaines après notre première sortie, je me penche à la portière de «boule de gomme» et je dépose un court baiser sur les lèvres de Denys.

Je fais les premiers pas! Je ne me reconnais pas moi-même! Au fond, j'ai la nette impression que Denys ne veut pas me brusquer. On s'apprivoise lentement et le jeu est irrésistible et terriblement sensuel.

Un mois plus tard, nous passons la fin de semaine à la campagne chez les Bergeron, dans le beau coin de Saint-Charles-de-Mandeville. Une colline parsemée de pâquerettes sera complice de notre premier baiser!

Beau temps, mauvais temps

Au mois de mai 1973, j'apprends que mon contrat de Miss Circulation sur les ondes de CKLM n'est pas renouvelé. Grâce encore une fois à Serge Laprade, et à un appel téléphonique à Paul-Émile Beaulne, le directeur de la station de la rue Metcalfe, CKAC m'ouvre ses portes et m'offre de devenir la Miss Météo de la station. Je ne connais absolument rien au domaine de la météorologie, mais qu'à cela ne tienne! Je fonce encore une fois!

Je m'appelle, pour les besoins des ondes, Christine Lamer, puisque je suis à Radio-Canada depuis quelques semaines.

Je m'intègre rapidement au rythme nerveux et stimulant du «Tout l'monde le fait, fais-le donc!» J'ai mes quartiers dans la salle des nouvelles où je ramasse chaque jour les bulletins météo sur le fil de presse. Je suis carrément aux oiseaux! Je vais bientôt avoir 20 ans et je travaille auprès de journalistes professionnels et dynamiques: Jacques Morency, Yves Hamel, Michel Gamache, et les petits nouveaux Pierre Bruneau et Raymond St-Pierre.

Je rejoins l'équipe du matin menée par le capitaine Jacques Proulx et je termine avec le Cynique Marc Laurendeau, pour le retour à la maison. Pour étoffer mes bulletins, et surtout pour y voir plus clair dans les dédales scientifiques de la météorologie, j'appelle tous les jours, à Dorval, nul autre que mon compétiteur de CBF-690 qui est en ondes avec l'animateur Joël Le Bigot, le météorologue Alcide Ouellette!

«Bonjour, monsieur Ouellette! Expliquez-moi le fameux "courant jet" (Jet Stream) qui influence tellement notre climat.»

De sa voix rauque si caractéristique, il prend le temps (c'est le cas de le dire!) de m'expliquer dans les moindres détails les dépressions, les anticyclones et la formation du verglas dans un système instable. Il est d'une gentillesse extrême à mon égard. Dire que je n'ai jamais eu la chance de le rencontrer en personne. Quelle ironie quand même! Après réflexion, je me demande si mes patrons étaient au courant de mes entretiens téléphoniques avec le concurrent. Entre les deux émissions, après avoir enregistré le bulletin de la journée, je file soit pour l'école Vincent-d'Indy, soit pour les studios de Radio-Canada pour enregistrer *Bobino*. Quel bonheur tout de même!

Le monde fascinant et grouillant d'une salle de nouvelles est une expérience unique et passionnante. Il n'est pas rare que je donne un coup de main en période de pointe et que j'enregistre les topos des journalistes. Une autre personnalité marque également les années 70 et 80 à CKAC, la sénatrice Solange Chaput-Rolland qui, de son côté, enregistre ses réflexions quotidiennes sur le monde sociopolitique. Une grande dame que j'admire pour sa détermination, son courage et ses idées avant-gardistes.

Je nage dans le bonheur, entourée de professionnels, et je fais mes classes avec des personnalités marquantes et dynamiques, les acteurs d'une génération flamboyante et moderne. J'ai fatalement la piqûre et je délaisse peu à peu la musique et mes projets de concertiste.

Au printemps 1974, Denys grimpe les échelons de la station CKLM, propriété de Télé-Capitale dirigée par M. Jean Pouliot. Denys devient directeur de la production, puis des programmes, pour terminer directeur de la station. Il fait un ménage musical impressionnant, forme une équipe d'animateurs surnommée «les Chums LM», et prend de la hauteur dans les cotes d'écoute. Le vent souffle haut et fort. Nos carrières respectives roulent à plein régime. Quelques années plus tard, Denys m'avouera le nom du responsable de mon renvoi de CKLM: lui-même!

Je ne cadrais plus dans le nouveau format des «Chums LM» que prenait la programmation. Ç'a été un mal pour un bien, car mon expérience à CKAC a été réellement bénéfique tant sur le plan professionnel que sur le plan personnel. Imaginez! En moins d'un an, j'ai le grand bonheur de rencontrer et de travailler avec des personnalités fortes qui vous remuent «le dedans»! Comme l'a déjà dit Gérard Depardieu: «L'important pour moi ce sont les rencontres humaines, rater un film n'est pas bien grave, mais rater un mec, ça par contre, oui!» Cela résume sa philosophie de vie et rejoint, en quelque sorte, la mienne.

C'est une grande richesse de croiser la route de gens merveilleux. Et c'est encore plus extraordinaire lorsqu'on a l'intelligence de tirer le maximum de ces échanges.

Encore faut-il avoir la chance de commencer sa vie entouré d'êtres équilibrés. En écoutant les malheureuses histoires d'enfants nés dans des familles incestueuses, alcooliques,

abusives, de tout-croches et de paumés, je me considère privilégiée d'avoir une maman et un papa équilibrés, aimants,
qui m'ont encouragée et épaulée depuis mon premier souffle.

Chapitre 8

Des premières
de taille

Une première sur quatre roues

Elle est habillée d'une robe dorée et affiche une paire de pare-chocs noirs, devant et derrière. Son toit décapotable et ses cinq vitesses au plancher promettent des randonnées excitantes. Elle s'appelle MGB et vient de sortir des usines anglaises. Elle porte une étiquette étalant son pedigree et des chiffres accompagnés du signe de dollar, tout en bas du carton. Elle est garée entre deux Triumph TR6, dans le parking du concessionnaire Coiteux. Je garde le silence, comme d'habitude, pendant que le vendeur régurgite ses explications sur le moteur et les autres particularités de la bagnole.

«Voulez-vous faire un essai routier?» demande-t-il enfin.

Je réponds un oui discret. J'ouvre délicatement la portière et je m'installe au volant. Elle dégage une odeur de cuir et de neuf qui me rappelle la première voiture de mes parents. J'insère la clé dans le contact et voilà qu'elle ronronne un délicieux bonjour. Oh mes cœurs, quelle sensation merveilleuse! Je succombe et j'achète ma première voiture 3 500 $.

Quelques semaines auparavant, un pilote d'expérience, Denys, m'enseigne les rudiments de la boîte de vitesses manuelle le long des routes pittoresques de Saint-Charles et de la région avoisinante. Après bien des étouffements et des dents d'engrenages écorchées, j'embraye dorénavant sans heurt et je réussis même à garder la voiture en première en jouant de l'accélérateur et de l'embrayage, lorsque je suis stationnaire dans une côte.

Voilà maintenant un an que nous sortons officiellement ensemble, Denys et moi. Nous partons en amoureux pour un tour de la Gaspésie, toutes voiles dehors, en écoutant Dave Brubeck, Claude Léveillée, Charles Aznavour et Léo Ferré. Suivent derrière ma belle-sœur, Lorraine, son mari, Bob, et leur toutou, Nanette, dans leur *station wagon* vert forêt. Denys trace notre itinéraire de façon à passer par la baie des Chaleurs et ainsi découvrir le majestueux rocher Percé par la fameuse côte surprise. Il connaît très bien la région, car il a déjà travaillé à Carleton, pour la station locale de Radio-Canada. Après une nuit à Percé, nous décidons d'un commun accord de continuer la route en solitaire. Nous laissons donc Lorraine, Bob et le chien, pour poursuivre notre périple en longeant cette fois la rive sud, en passant par les anses qui parsèment le littoral gaspésien.

Denys tente à plusieurs reprises de me faire parler pour que je puisse m'ouvrir un peu plus. J'éprouve énormément de difficulté à parler de moi. Je n'arrive pas à exprimer ce que je ressens, ce que je pense. J'ai un drôle de blocage et, malgré le barrage émotionnel, Denys s'entête à percer mes pensées refoulées au plus profond de mon être. Tout ce que je trouve en dedans n'est qu'une grande noirceur, un vide, un creux. J'étouffe de ne pouvoir exprimer clairement ma pensée. Ce qui remonte à la surface, ce sont souvent des larmes qui jaillissent sans qu'une parole ne sorte de ma bouche.

Denys essaie mille pirouettes pour entendre ne serait-ce qu'un début d'explication. Un jour, il prétend même se perdre sur une route de campagne pour me secouer les puces et que je sorte de ma léthargie.

«Lapin, je suis perdu là. Je n'ai aucune idée où nous sommes!»

Je regarde le chemin devant nous et calmement je lui dis:

«Tu n'as qu'à demander le chemin au prochain piéton qui passera.

– Nous sommes en pleine campagne! Y a pas un chat qui traîne sa patte dans le coin.»

Je ne réponds rien. Rien! D'un coup de roues, Denys se retrouve par miracle sur la grand-route et le reste de la balade se passe silencieusement!

Nom d'une Bobinette, prise 2

Une saison s'écoule et nous sommes au printemps 1974. J'ai un peu d'argent et le vent dans les voiles! Je prends mon courage à deux mains et je déclare à mes parents:

«Voilà! J'ai 20 ans, je vous aime bien, mais je veux vivre seule, j'ai signé un bail d'un an pour un appartement, boulevard de Maisonneuve à Montréal, et je quitte la maison dans une semaine.»

Ouf! Le terrible aveu est sorti! Mais c'est tout de même la catastrophe!

«Je le savais, c'est Denys qui t'entraîne là-dedans!» décrète maman.

Quant à papa, il garde le silence comme d'habitude. Je sais que je leur fais énormément de peine. Je pars de la maison sans être mariée. Voilà le problème. Mes parents sont profondément chrétiens et je ne suis pas les règles établies par la communauté catholique.

Mais, depuis plusieurs années, je partage ma chambre avec grand-mère Marguerite au sous-sol et, franchement, j'ai envie de liberté. J'ai envie de respirer. Denys a été la bougie d'allumage, c'est évident! C'est lui qui a secoué le pommier. Pauvre papa! En m'offrant le rôle de Bobinette quelques mois plus tôt, il me tendait du coup la clé de l'indépendance.

La journée de mon déménagement, qui se limite à quelques fringues et babioles, je dois composer avec la colère de maman et le silence de papa. Le moment est très pénible.

Comme ma chambre est située au sous-sol, la fenêtre donne sur la façade de la maison et, par le fait même, sur la rue. Je passe donc tout mon petit barda par la fenêtre et Denys s'occupe de récupérer les fringues dehors.

Chère maman! Je sais qu'à travers ta colère, tu avalais tes pleurs et ta grande peine. Je sais que tu m'as pardonnée depuis longtemps. Je t'aime tellement ma petite maman que je m'excuserai toujours d'avoir été la cause de tant de déception et de chagrin.

Une première en ville

Je loue donc un trois et demi, boulevard de Maisonneuve Ouest, dans un immeuble moderne en béton. La Maison danoise livre le mobilier de chambre à coucher en bois de teck, je garnis les tablettes et le réfrigérateur de nourriture et je m'apprête à passer ma première nuit, seule, les oreilles au garde-à-vous. Quelle différence avec la vie paisible de la banlieue! Les voitures de police et les camions d'ambulance sillonnent le quartier dans une cacophonie de sirènes stridentes avec, au loin, les hurlements enthousiastes d'une foule de spectateurs sortant du Forum de Montréal. Je parviens tout de même à fermer l'œil en gardant bras et jambes repliés comme d'habitude.

Et voilà qu'en rêve, le cauchemar musical continue! J'entends un bruit tellement assourdissant, tellement réel, un son particulier qui ressemble à celui d'une alarme... Je bondis net du lit! Je ne rêve pas! Il s'agit bel et bien de l'alarme qui secoue tout le building! Je regarde le réveille-matin qui marque 2 h du matin. J'enfile ma robe de chambre et j'ouvre la porte de l'appartement. Un locataire hurle au loin qu'il faut évacuer, car un incendie s'est déclaré deux étages au-dessus de nous! Je sens effectivement une odeur de fumée qui traîne dans le corridor. Je saute sur le téléphone et j'appelle Denys.

«Mon lapin, je dois évacuer mon appartement! Il y a un incendie...

– J'arrive tout de suite!» répond Denys.

J'enfile mes pantoufles, j'attrape en passant mon sac à main et je dévale les six étages qui me séparent du rez-de-chaussée. Dans le lobby, les locataires en jaquette, pyjama et robe de chambre discutent et fument pendant que ça brûle au huitième. Le délire! Denys arrive en trombe dans sa «boule de gomme».

«Tu vas bien mon lapin? demande-t-il en allumant un petit bâton blanc.

– Oui, rassure-toi. Mon appartement est intact. La rumeur circule que le feu est pris dans un matelas au huitième à cause de ça!» dis-je en lui montrant sa cigarette incandescente.

Les pompiers terminent leur boulot et tous les locataires remontent, chacun chez soi.

Ma première nuit dans mon petit logis finira agréablement entre les bras de mon doux lapin!

Une première audition

En 1973, je suis membre de l'Union des artistes. Une trentaine de permis suffisent pour joindre l'Union. Ayant accumulé rapidement les miens, grâce aux émissions *Bobino*, je suis maintenant comédienne, marionnettiste et membre en règle. Je n'ai pas fait l'École nationale ou le Conservatoire. Depuis l'automne 1972, je travaille pour la radio, à CKLM, comme animatrice et, par la suite, en tant que Miss Météo à CKAC. Je sors de Vincent-d'Indy avec un diplôme collégial en musique, et un début de baccalauréat en piano. Voilà qui est plutôt mince!

Comme ma route semble bifurquer vers la scène, la radio et la télévision, je décide de prendre des leçons de théâtre privées. Je choisis Mme Janine Sutto qui a été membre du jury du concours Miss Laval. Elle habite dans l'une des tours d'habitations Rockhill, de Côte-des-Neiges. Mme Bernier, la dame qui s'occupe de l'une des filles de Janine Sutto, m'ouvre la porte et j'ai droit à un beau sourire et à une voix douce qui me dit bonjour en m'indiquant le salon. En entrant dans la pièce, j'aperçois, par terre, seule sur le tapis du salon, une enfant aux couches. Je lui dis bonjour, mais elle ne répond pas, ne me regarde même pas. Je comprends alors qu'elle est atteinte de trisomie, et je reste là immobile à la regarder comme si c'était la première fois que je voyais une enfant mongole. Mais qu'est-ce que je raconte! C'est la première fois que je suis en présence d'un si petit être atteint de l'étrange maladie. Ma gêne s'efface lorsque Mme Sutto entre dans le salon et me dit avec fierté: «C'est ma fille Catherine.»

Celle-ci se retourne sur elle-même et semble tendre un bras vers sa mère.

Je n'oublierai jamais cette touchante scène d'amour: Janine se penche doucement et caresse la tête de l'enfant puis dépose un baiser sur la main de sa fille. La petite a peut-être 10 ou 12 ans, mais on dirait un bébé de 2 ans qui ne marche pas, ne parle pas.

«Allez, mon p'tit crapeau des îles! Va écouter ta musique avec Mme Bernier, maman va travailler avec Christine.»

Je suis perplexe et impressionnée à la fois de constater que Mme Sutto garde près d'elle sa fille si lourdement handicapée, et ce, depuis sa naissance. La différence est saisissante lorsque les jumelles, Mireille et Catherine, se retrouvent côte à côte. Chapeau, madame Sutto!

Je vais chez elle pendant environ un an, à raison d'un cours par semaine. C'est là que je fais la connaissance de plusieurs comédiens: Denys Paris, Hélène Mondoux, Denise Tessier, Réjean Wagner, Gilbert Beaumont, Jacques Fontaine, qui deviendra mon imprésario. Pendant que la majorité d'entre eux préparent leur audition pour entrer au Conservatoire ou à l'École nationale, de mon côté, je prépare les miennes pour le TNM et le Rideau Vert.

Nous nous donnons mutuellement la réplique, si bien que Denise Tessier passe son audition au Conservatoire avec une scène où je lui donne la réplique; elle y fera d'ailleurs ses classes, tout comme Denys Paris.

Mon audition au TNM devant un Jean-Louis Roux peu souriant, dans une salle de répétition froide, se passe plutôt bien. Sans plus. Celle du Rideau Vert, par contre, me fait marquer des points. Je présente un extrait des *Sorcières de Salem* de Miller, la fameuse scène d'Abigaël et Proctor:

«Dieu! C'est vous John! Je crois rêver! Vous ici! Vous! Je n'avais jamais osé y penser! – Qu'est-ce qui se passe ici?» etc.

L'audition se déroule sur la scène du théâtre, dépouillée mais éclairée, si bien que Gilbert Beaumont (Proctor) et moi (Abigaël) nous sentons coupés du reste du monde grâce à la magie des feux de la rampe. La scène se déroule en un éclair et je termine en pleurs, agenouillée aux pieds de Gilbert, comme la mise en scène de Mme Sutto l'exigeait. Je me relève, je ne vois strictement rien, j'essaie d'essuyer les larmes sur mes joues lorsque j'entends une voix provenant de la salle qui m'interroge sur mes études, mon travail et tout. Je réponds faiblement, éblouie par cet éclairage qui ne nous permet pas de voir qui sont les juges de l'auditoire.

Je sens que j'ai donné une bonne prestation. Mon Gilbert a été à la hauteur avec sa belle voix, ses six pieds et sa belle tête de jeune premier.

Quelques années plus tard, je vais chercher ma fille Martine au Collège français, à Cartierville, lorsque j'entends une voix familière qui prononce mon nom. Je me retourne et j'aperçois, je rêve, là, non j'hallucine, je reconnais cette voix, mais elle ne va plus avec le personnage qui se tient devant mes yeux. C'est pas mon Gilbert! Cet homme-là est méconnaissable, vêtu de vieux vêtements, une canne à la main. Ah, mon Dieu! C'est mon Gilbert! Celui qui avait joué un flamboyant Proctor sur la scène du Rideau Vert. L'homme devant moi boite, son visage est enflé par les médicaments, on dirait un clochard! J'ai la gorge nouée, je n'arrive pas à articuler un mot, je suis sidérée par cette déchéance, et l'effet des substances merdiques qu'il a ingurgitées au fil des ans. L'abus d'alcool et surtout de drogues dures a distribué le jeune premier dans l'ultime rôle de sa vie: celui d'un homme déchu, d'une loque humaine rongée par la maladie et qui traîne le poids de ses erreurs et de ses abus. Un comédien qui joue désespérément le dernier acte de son existence. Gilbert est décédé quelques années plus tard sans qu'il ait pu jouer de façon professionnelle sur scène ou à la télévision.

Notre route est-elle tracée dès notre naissance sans que nous puissions intervenir? Pourquoi faut-il que certains vivent des cauchemars et d'autres une vie de rêve? Pourquoi la chance cogne-t-elle à certaines portes? Peut-être faut-il encore être derrière au moment même où le bonheur passe...

Je crois profondément que nous façonnons notre chance et qu'il faut croire en elle. Lorsqu'on est au creux de la vague, il faut ramer plus fort pour éviter l'effet d'entraînement qui avale tout rond, qui détruit insidieusement les réserves mentales et physiques nécessaires à la remontée, à la survie, à la bouffée d'air redonnant l'espoir et l'énergie, et prendre un autre bateau vers le soleil de la vie.

Une première au théâtre

Quelques semaines après les auditions, le comédien Réjean Wagner, qui m'a donné la réplique pour le TNM, signe la mise en scène de la pièce *La pétaudière*, de Roland Lepage, avec entre autres Robert Leroux qui jouera des années plus tard dans *Starmania*. Les répétitions ont commencé et voilà que le rôle de la mère Beaugras est libre. La comédienne laisse tomber la troupe et Réjean me demande de la remplacer à deux semaines de la première!

«Bah! J'ai l'habitude, Réjean! J'ai repris le rôle de Bobinette, je peux certainement essayer!» dis-je en riant.

Enfin, mon premier rôle professionnel au théâtre! Je suis tellement excitée que j'apprends le texte rapidement, et la première se déroule tel que prévu à la Bibliothèque nationale, rue Saint-Denis, en novembre 1975. Nous avons un beau succès, si bien que nous entreprenons une courte tournée.

Pendant mes répétitions pour *La pétaudière*, j'apprends que Mme Yvette Brind'Amour signe la mise en scène de *Légères en août*, avec Françoise Faucher, Claudine Chatel, etc. pour le Rideau Vert. Mme Brind'Amour m'offre un très petit rôle, mais c'est quand même un début. Je dois tourner le dos au public dans la première scène de la pièce et répondre aux questions posées par Françoise Faucher. Jusque-là tout va bien. Mais en répétition, la metteure en scène décide d'enregistrer mes répliques et, par le fait même, de m'évincer de la scène! Après cette décision, je signe pour la tournée de *La pétaudière*. Mais quelques jours après avoir dit oui à Réjean Wagner au sujet de la tournée, Mme Brind'Amour revient sur sa décision et exige que je donne mes quelques répliques sur la scène du Rideau Vert! Je me vois dans l'obligation d'avouer à Mme Brind'Amour que je ne pourrai pas être à la fois sur la scène de son théâtre et en tournée avec *La pétaudière*. Catastrophe et damnation! Je dis «non» à Mme Brind'Amour! Je dis «non» au Rideau Vert! Quelle frustration, tout de même! Ma carrière théâtrale commence bien... Pour preuve, l'année suivante, Jean Dalmain monte *Mangeront-ils* de Victor Hugo au TNM, avec Louise Marleau et Jean-Louis Millette. Je signe le contrat pour le rôle de Lady Janet, mais avant même de commencer les répétitions en salle, je suis «flushée»!

On me remplace par Anne Létourneau. Tiens, tiens, voilà que je suis remplacée à mon tour! J'apprends amèrement que, dans la vie, il n'y a personne d'irremplaçable. Moi la première!

M. Dalmain ne me considère pas à la hauteur du texte d'Hugo. Je veux bien, moi, mais j'ai signé le contrat! Eh bien, contrat ou pas, je n'ai jamais mis les pieds au TNM, sauf dans la salle, en tant que spectatrice. Le comptable du TNM me fait comprendre les répercussions d'un non sur la liste noire... Quelle liste noire? Bref, aucun dédommagement et encore moins un «nous penserons à vous la prochaine fois» ne tombe, rien. Rien qu'un goût amer qui me reste sur le cœur.

D'autres théâtres m'ouvriront leurs portes beaucoup plus tard, et ce seront celles des théâtres d'été.

Pour le moment, c'est le petit écran qui retient mes services comme marionnettiste, comédienne et, plus tard, animatrice.

Chapitre 9

Pour vivre
ensemble

Nom d'une Bobinette, prise 3

Maman tente à plusieurs reprises de convaincre papa de dévoiler la supercherie: «C'est pas ma maîtresse, c'est ma fille!» et qu'on n'en parle plus. Mais ce qui devait arriver arrive. Et ça se passe plutôt mal!

Aussitôt que la direction apprend le coupable stratagème, par des jaloux sans doute, papa se voit retiré de l'émission *Bobino*, mais comme je fais l'affaire, on punit le responsable. Conflit d'intérêt, politique radio-canadienne, etc. Bref, Jean-Marie Dugas, alors directeur des programmes, assène le coup fatal:

«Deux mois sans salaire! Tu sais, Marcel, si c'était ta maîtresse, on applaudirait, mais comme c'est ta fille, c'est grave.»

Mais ce qui est plus terrible encore, l'association des réalisateurs ne lève pas le petit doigt pour épauler papa. Combien de réalisateurs ont déjà engagé un membre de leur famille pour une production télévisuelle dans le passé? Ce qui frustre tout le monde sans doute est la fréquence des engagements: 195 émissions par année. Beaucoup d'argent! Conflit direct et majeur! Faut sévir!

Papa est carrément démoli. Surtout qu'un malheur n'arrivant jamais seul, il se trouve non seulement privé de salaire mais de voiture. Il s'occupe de faire connaître une méthode de musique «pentonale» créée par Michel Perreault, et comme il doit se déplacer dans toute la province, Perreault a loué une voiture pour ses déplacements. Mais voilà qu'un conflit éclate entre eux, si bien que papa perd à la fois son travail de représentant et son moyen de locomotion. Le moral est au plus bas. Même si la période des vacances est entamée, le soleil a beau luire à l'extérieur, l'atmosphère est plutôt lourde dans la maison familiale.

Je me sens tellement coupable de l'infortune de papa et des conséquences qu'il subit par ma faute que je fais ni une ni deux: je vends ma petite MGB que je possède depuis quatre mois à peine et j'achète deux voitures d'occasion, une Austin Marina rouge pompier pour moi et une autre plus luxueuse pour mes parents. Papa me répète constamment qu'il est fier de moi et que je n'ai pas à me sentir coupable. Après tout, je garde mon travail à Radio-Canada.

Cher papa! Tu as toujours encaissé les coups en silence pendant que maman te disait souvent, avec raison d'ailleurs: «J'te l'avais dit Marcel.» Mais ta détermination et ton entêtement parfois exagérés se retournaient malheureusement contre toi. Eh bien, tu n'es pas le seul sur la terre avec ce trait de caractère! Je t'aime pour ce que tu es et je te demande encore pardon si j'ai été parfois la cause de larmes versées en secret.

«Pour vivre ensemble il faut savoir aimer»

Je vis seule en appartement depuis maintenant deux ans. Après l'appartement étouffant au centre-ville, boulevard de Maisonneuve, j'emménage à Ville Saint-Laurent, rue Jules-Poitras. L'environnement est plus agréable et aussi plus rassurant.

Les fréquents cambriolages, sans effraction, dans l'immeuble, qui vident notamment le contenu de mon gros cochon de céramique, les incendies à répétition dans les matelas et sur les cuisinières, les concerts urbains, la pollution, bref, la vie trépidante du centre-ville ont eu raison de ma patience! Je m'installe pour un an dans un coin tranquille et pépère, sauf pour l'odeur! Du côté ouest de la rue Jules-Poitras se trouve en effet l'usine Tuck Tape, un fabricant de rubans adhésifs qui crache une fumée nauséabonde lorsque le vent souffle vers nos logements.

J'apprendrai qu'il faut non seulement scruter son appartement à la loupe avant de louer, mais qu'on doit également «faire le tour du propriétaire» avant de signer son bail.

Après deux ans de fréquentations, nous vivons toujours à distance, Denys et moi. En semaine, c'est chacun chez soi, et les fins de semaine notre amour se décline tantôt à Ville Saint-Laurent, tantôt en ville chez Denys, rue Sherbrooke. Notre relation a commencé tout doucement en nous apprivoisant mutuellement. Il y a bien sûr l'amour, mais aussi le respect et l'admiration que chacun porte à l'autre. Je respecte le fait que Denys est encore fragile et secoué après un premier échec matrimonial. De son côté, Denys apprend patiemment à décoder mes pensées et fait de multiples efforts dans le seul but de me comprendre. Notre boulot est si captivant, lui à la radio, moi à la télé, que nous nous vouons une admiration réciproque. Pour le moment, il n'est surtout pas question de mariage en ce qui concerne Denys. Je comprends et je respecte énormément ses réticences.

Par contre, lorsque mon appartement rue Jules-Poitras arrive en fin de bail, notre désir de continuer la route ensemble est plus fort que jamais. Désormais, on mettra nos œufs dans le même panier!

Aussitôt que je mentionne à mes parents les mots «vivre ensemble», la déclaration ébranle la chaumière familiale! Je crois que j'aurais pu aussi bien déclarer: je suis lesbienne! L'aînée de la famille, celle à qui incombe de donner l'exemple à ses frères et sœurs, la première chrysalide ne se transforme pas en un beau papillon, mais plutôt en vulgaire cafard de bas étage! Nous sommes en avril 1976.

«Cet homme-là ne te mariera jamais!» Voilà que mes parents interdisent au coupable de franchir le seuil de leur porte. J'ai à choisir entre mes parents que j'adore et Denys que j'aime. Je décide de faire front. Si Denys n'est pas le bienvenu chez mes parents, alors je ne le serai pas moi non plus. Lorsque j'appelle à la maison pour parler à ma sœur Francine, grand-mère répond: «Un instant, s'il vous plaît.»

Par contre, l'attitude de mes futurs beaux-parents en apprenant notre projet relève d'une scène plutôt comique. Nous sommes chez tante Mimi, la sœur de maman Yvonne, pour Pâques. À table, pendant que chacun se sert, Denys déclare que nous avons loué une charmante maison et que nous allons bientôt y vivre. Je retiens mon souffle et ma bouchée et j'entends papa Henri dire:

«Ah bon! Dans quel coin? Yvonne, passe-moi les pommes de terre…» Non mais, je rêve, là! Et maman Yvonne d'enchaîner: «Dans le West Island. Henri, tu veux des flageolets?»

Allô, tout le monde! Avez-vous entendu l'énorme déclaration: on va vivre ensemble! Dans le péché! Je suis l'amante d'un homme séparé, et pas encore divorcé! Oh, mes vieux! J'avale enfin ma bouchée et mes craintes du même coup. Je n'arrive pas à y croire. Le coupable aveu devenu inoffensif aux yeux de mes beaux-parents s'ajoute à leur historique familial déjà bien rempli. Autrement dit, ils en ont vu d'autres! Denys a commencé le bal en se mariant à 21 ans et en se séparant trois ans plus tard; Alain, son frère, s'est marié avec

Geneviève enceinte de leur fille Rosalie; et l'aînée de la famille, Lorraine, a épousé un Anglais! Bref, la famille Bergeron a eu son lot de surprises matrimoniales!

Denys et moi avons trouvé un joli bungalow à louer à Pierrefonds. Pourquoi Pierrefonds? Je me le demande encore aujourd'hui! À mes yeux, cette ville à l'ouest de l'île de Montréal n'a aucun cachet particulier. Nous avons sûrement fait une randonnée à bicyclette dans le West Island et le hasard nous a conduit devant cette maison à louer pour trois fois rien.

¡Olé, toro!

On déménage donc rue Brooks à Pierrefonds au printemps 1976, année mémorable des Jeux olympiques. Quelque temps après l'installation de notre ménage, je pars avec ma sœur Francine pour l'Espagne. Faut être gonflée! Je viens de terminer une autre saison de *Bobino*, et ma sœur fête la fin de ses études d'infirmière. Nous sommes tellement près l'une de l'autre depuis notre enfance que Francine est non seulement une sœur mais également une amie qui me devine. On dirait des retrouvailles d'enfance, à l'époque nous étions cousues presque l'une sur l'autre. Je pense sincèrement que nous avons développé une relation de jumelles malgré les 15 mois qui nous séparent. Elle reste alors mon unique contact familial depuis ma décision de vivre avec Denys.

Nous partons pendant deux semaines sur la Costa del Sol, visiter Grenade et son Alhambra, Séville et son flamenco, manger du *pollo*, des *patatas fritas*, avaler la merveilleuse sangria, et crier olé! au toréador devant le taureau en sang. Un poème!

Je ne ressens aucun remord de laisser Denys à son travail à Montréal; en plus de la radio, il est commentateur de lutte pendant les Jeux olympiques, et mon hidalgo, de son côté, semble accepter ce voyage «de noces» sans lui! Bon, faut dire que nous avions consommé depuis belle lurette les fruits de notre union et que nous avions déjà voyagé en amoureux à plusieurs reprises. Je cuisine des plats pour me déculpabiliser un tantinet, et «¡*Viva España!*»

Pancho et les araignées

Au retour de voyage, l'homme arrive un soir avec un gentil toutou danois de 220 livres, en se disant que je devrais peut-être garder dorénavant et le toutou et les pieds à la maison! Voyez le tableau: je reviens d'Espagne et j'ai un chien du nom de Pancho! Denys a de la suite dans les idées, quoi!

L'homme est donc arrivé ce soir-là avec le gentil chien-chien. C'est-à-dire que le «pitou» s'est présenté le museau à la porte d'entrée le premier... Oh, l'énorme bête! Un danois beige, à la gueule noire, pesant plus de 200 livres, envahit le salon, les plantes et notre intimité tout à la fois.

Pancho est doux comme un agneau, mange comme dix et crotte comme vingt! Les enfants du quartier l'appellent «Marmaduke», du nom du chien de la bande dessinée anglophone. Et comble de bonheur, le poney est entraîné à l'attaque, madame! Si on lève seulement les bras, le mastodonte n'hésite pas à sauter sur l'ennemi. Charmant! Il s'étend de tout son long, le museau noir sur le bout du tapis du salon, car on lui interdit les galopades sur les fauteuils. Son Nautilus à lui est la marche quotidienne pour ses besoins canins. Je devrais dire le jogging quotidien. C'est qu'il a de la patte, l'animal! Je ne sors pas Pancho, Pancho me sort! Quelle course, mes amis! C'est à chaque fois urgence-besoins, direction le parc pas très loin.

Vous êtes déjà au parfum, je déteste les araignées. Or, un soir, je suis seule à la maison avec mon fidèle compagnon à quatre pattes. J'entre dans une pièce et j'aperçois une énorme araignée dans un coin. Je referme aussitôt la porte sur ma peur et je longe le corridor, suivie de Pancho. J'en trouve alors une autre dans la cuisine et encore une dans le couloir qui mène au sous-sol. Ça y est, nous sommes envahis! Et voilà que je reste immobile au milieu du salon, clouée sur place par cette fichue peur des tricoteuses de toile! Le tableau est d'un ridicule. Je suis pétrifiée par d'inoffensives tégénaires, et mon garde du corps, aussi paniqué que sa maîtresse, se colle sur mes jambes en gémissant. Je réussis à décrocher le combiné pour alerter Denys. Celui-ci siège à un sérieux conseil d'administration; devant ma panique, la secrétaire tend discrètement le téléphone en glissant quelques mots à l'oreille de son patron. Denys se lève rapidement et s'excuse en disant qu'il doit partir immédiatement tout en taisant la raison de l'urgence. Vous imaginez la tête des membres du conseil d'administration si Denys leur avait dit: «Je suis désolé, mais ma femme a une crise de nerfs et croit que nous sommes envahis d'araignées!» Envahis d'extraterrestres aurait été plus approprié!

Devant l'ampleur du nombre d'intrus, c'est-à-dire trois au total, l'homme me fait comprendre que c'est pas dans notre chaumière que se tiennent les vilaines, mais plutôt «dans mon plafond»!

Face à l'envahisseur, et la folie qui me guette, il faut prendre les grands moyens. Je brandis non pas la canette d'insecticides, j'opte plutôt pour une consultation in petto avec un ami de mes parents, M. André Danis, qui a, semble-t-il, la réputation de guérir toutes sortes de petits bobos.

Je m'étends sur une table, genre table de massage, et M. Danis me parle tout doucement en tendant ses bras au-dessus de mon corps. Je me sens parfaitement calme et détendue, et j'entends cette phrase répétée comme une prière: «Tu peux écraser les araignées avec les doigts.»

Son incantation portera fruit un an plus tard. J'écraserai du bout du doigt comme ça, bêtement, une minuscule araignée sans même m'en rendre compte! Depuis ce temps, je garde un sang-froid relatif lorsque je croise dame araignée au détour d'un couloir...

Plus tard, à Dollard-des-Ormeaux, notre Pancho prend la mauvaise habitude de fuguer. Nous devons l'attacher dans la cour, car il batifole dans les carottes du potager, et il saute aisément la clôture. Il n'est pas rare que notre voisin Neil sonne à notre porte pour nous avertir que le fugueur a récidivé et qu'il déambule dans le parc, plus tard baptisé parc Terry-Fox.

Nous sommes tous malheureux de la situation. Constamment enchaîné, Pancho devient de plus en plus difficile et n'écoute plus comme avant. Il a besoin de liberté.

Un matin d'automne, notre Pancho, assis sur la banquette arrière de la Buick beige, part définitivement pour la campagne. Les grands espaces l'attendent pour ses balades endiablées et une belle danoise racée se promet bien d'adorables chiots avec son futur! Je revois ses grands yeux noirs à travers la vitre de la voiture qui semblent me dire: «Tu ne viens pas faire une promenade?» Je pleure toute la journée de concert avec la pluie qui lave doucement les premières feuilles colorées. Ah, ce qu'on peut s'attacher tout de même! Je crois que ce jour-là, je me suis juré de ne plus avoir d'animal dans la maison. Bon! Il ne faut jurer de rien, car nous aurons plus tard un petit caniche tout noir du nom de Réglisse et aussi une adorable chatte, Laïka, tous deux baptisés par Martine.

Chapitre 10

Vive
les mariés!

Oui, je le veux!

Il se tourne vers moi pendant une pause publicitaire et me
dit: «Et si on se mariait?» Je lui réponds un oui tendre et
discret, et nous regardons la fin de l'émission en silence…
Nous sommes en février 1977, et je n'ai pas revu mes parents depuis plusieurs mois. Je parle à ma sœur Francine de
notre projet de mariage et elle m'assure que maman et papa
seront très heureux d'apprendre la nouvelle.

Et nous voilà à nouveau réunis, maman, papa et moi, dans
la cuisine familiale, nous serrant très fort comme pour rattra-
per le temps perdu. Malgré que je ne puisse me marier en
blanc à l'église, ils acceptent notre mariage civil.

Une date est aussitôt arrêtée, le 29 avril 1977, un vendredi matin à 9 h, au Palais de justice de Montréal.

Quel vent ce matin-là! C'est une journée de printemps
encore froide de bourrasques de vent, mais lumineuse de soleil. Nous avons décidé de ne pas ébruiter notre mariage à la
presse québécoise. Mais une journaliste de *The Gazette*, atti-
trée à la rubrique mondaine du quotidien anglophone, est sur
place pour décrire les couples qui défileront toute la journée
devant le protonotaire. Nous aimons le cirque en entrant dans

une pièce qui ressemble plutôt à une salle d'audience. Plutôt austère comme ambiance! Devant nous se tient solennellement notre officiant en toge noire, une secrétaire à sa droite.

Nous descendons le tapis rouge en regardant droit devant comme des condamnés devant monsieur le juge. Mais une discrète musique classique détend l'atmosphère; nous retrouvons notre sourire et les membres de nos familles respectives assis de part et d'autre de l'allée.

«Je suis coupable, votre Honneur! Coupable d'amour pour cet homme que j'adore. Coupable d'avoir choisi, au détriment de l'amour et du grand respect que j'ai pour mes parents, un déjà marié, divorcé, mais un bon garçon, honnête, travailleur, généreux, intelligent et qui me rend si heureuse. Oui, votre Seigneurie, oui je le veux!»

Nous allons tous sabler le champagne chez mes beaux-parents à Outremont.

Comme la réception se tient en soirée chez mes parents, Denys retourne au boulot et j'en profite pour faire une petite sieste! Mes parents reçoivent donc une trentaine d'invités autour d'un splendide buffet bien arrosé.

Mes tantes, mes oncles, nos frères et sœurs, bref tous nos parents fêtent gaiement notre union enfin légalisée. Nous sommes très gâtés en cadeaux de la part des membres de nos familles. Je me souviens que toute l'équipe de *Bobino* nous a donné un tableau très moderne et original. Les copains de travail de Denys à CKLM ont également été généreux, entre autres Alain Montpetit qui a offert un tableau.

En apprenant la supposée culpabilité d'Alain pour le meurtre du mannequin Marie-Josée St-Antoine, je ressens énormément de peine, surtout pour sa femme, Nancy, et ses deux enfants. J'ai non seulement connu Alain lorsqu'il travaillait pour Denys à CKLM, mais j'ai travaillé avec lui lorsque nous étions à l'emploi de Télé-Métropole. Nous avions chanté *Je t'aime à la folie* de Serge Lama, à bord d'un pédalo dans la piscine olympique! Alain avait du talent à revendre, mais aussi de sérieux problèmes de consommation. Alain a appelé Denys quelques jours avant sa mort. Il n'était plus lui-même et semblait confus. Il était déjà trop tard. Alain était dans un cul-de-sac face à lui-même, à cause de ses années turbulentes, ses virées d'alcool, de poudre blanche et ses nombreuses liaisons. Il a engourdi son insupportable culpabilité et ses horribles conneries en choisissant une sortie prématurée.

Je pense à tous ces gens qui vivent des drames semblables. Comment font-ils pour passer au travers d'épreuves aussi dramatiques? Pour ma part, je ne pourrais pas supporter la perte de mon enfant. Je crois que je commettrais le même geste que le père de la mannequin Marie-Josée St-Antoine. Il n'acceptait pas l'assassinat violent et gratuit de sa fille. Il n'avait pas la force nécessaire pour poursuivre sa route. Il s'est balancé dans le vide, du haut d'un balcon au 11e étage d'un immeuble d'appartements. La perte d'un être cher est une épreuve tellement difficile à supporter lorsque la maladie est la cause de ce départ, mais elle l'est encore davantage lorsque la mort frappe sans crier gare, violemment, sauvagement. Il y a de quoi perdre la raison et le goût de continuer. Ce n'est pas dans la normalité des choses. Nos enfants doivent fatalement nous succéder et non le contraire.

Dollard-des-Ormeaux pour les Français, D.D.O. pour les Anglais

Le parti Québécois est au pouvoir depuis quelques mois. Un vent de panique souffle sur les quartiers anglophones. Le mot séparation donne de l'urticaire aux Anglais et une envie de déguerpir en sol ontarien. Nous profitons de l'affolement saxon pour acheter notre maison 32 000 $, rue Westpark, à Dollard-des-Ormeaux. Un joli *split level* avec un foyer, un immense terrain à l'arrière, à deux pas de l'église catholique, du temple presbytérien et de la synagogue. Nous sommes bénis sur tous les fronts, quoi! Nos voisins immédiats sont des juifs anglophones et, grâce à eux, je vais apprendre à parler anglais. À cette époque, les anglophones sont plutôt réticents à parler notre langue.

J'en profite donc pour discuter avec ma voisine Francis Freeman et ainsi étoffer mon vocabulaire plutôt maigre. Même si Denys est parfaitement bilingue, notre conversation se fait en français et nos doux échanges également! Je me rends compte que nos papotages de clôture sont bénéfiques, car je vais fréquemment à Toronto pour tourner dans des publicités, le *«French talent»* doit comprendre et communiquer en anglais avec le *«Toronto crew»*. C'est la merveilleuse époque des tournages publicitaires à Toronto, où les artistes descendent en limousine dans les plus grands hôtels de la ville, souvent payés au cachet double et plus. *Money's no object!*

D'une pub à l'autre

La comédienne Andrée Champagne possède une boîte au centre-ville de Montréal, Duo Casting. Je peux m'y retrouver au moins une fois par semaine pour une audition. Et souvent je décroche la pub. Comme ça!

Je me rappelle celle des chiffons «J»; je m'assoyais sur une balançoire fabriquée des fameux torchons et le hic était de dire le texte en rythme avec les allées et venues que j'exerçais sur ma balançoire de coton!

Je me souviens d'un tournage mémorable en Floride avec le comédien Jean-René Ouellette pour une campagne de Noël de la compagnie Avon. Nous aurions pu tourner le message dans un studio à Montréal ou à Toronto pour minimiser les frais de production. Non, madame! On tourne en Floride, l'équipe se compose d'artistes venant de Montréal, Toronto, New York, Miami et Los Angeles! Un rêve pour une comédienne qui travaille d'habitude derrière un castelet. Le matin de notre envolée pour Miami, je me réveille avec le visage envahi de petites papules rouges. La catastrophe! Comment vais-je tourner une pub pour Avon avec une peau en irruption? On aurait dit le Vésuve, l'Etna et le mont St. Helens réunis! Je n'ai que 24 heures avant le début du tournage pour effacer les horribles cratères d'acné.

Dès notre arrivée, une rencontre est prévue avec le réalisateur de Los Angeles et l'équipe de production floridienne. Malgré le fond de teint et mes tentatives de camouflage, le réalisateur me dit en riant: *«Not enough sex! Don't worry dear, I've got the best make-up artist in the world!»* Oui, enfin, c'est connu, les Américains récitent depuis toujours leur sempiternelle litanie: ils sont *«the best and the biggest in the world»*.

Eh bien, ce génie du pinceau transforme mon pauvre visage picoté en une porcelaine de Chine. Le maître des couleurs travaille exclusivement avec ses doigts. Tel un peintre sur sa palette, il mélange divers fonds de teint avec précision et talent. Un grand artiste de New York qui a un sens de l'humour adorable. Il a composé un message original et chanté pour son répondeur:

«I'm not home but I'm not far away
Please tell me what you really wanna say
Cause I'm missing you
I've been missing you
And I hate missing you this way
If you need me
I'll come running home to call

Tell me what you want
Tell me anything at all
Cause I'm missing you
I've been missing you
And I hate missing you this way!» Bip!

Tout en se concentrant sur ses coups de fond de teint sur ma figure, il me chante son charmant message new-yorkais. Je me sens vraiment confiante pendant le tournage, grâce à la magie de l'éclairage et du maquillage conjugués. Ah, les miracles des trucages cinéma! Car nous tournions, *of course my dear*, sur pellicule 35 mm.

La pub pour les soutiens-gorge Playtex me fait également vivre une autre expérience unique. Pour les besoins du tournage, le talent anglais et moi-même sommes allés en limousine de l'aéroport La Guardia au siège de la société Playtex au New Jersey, pour y rencontrer le spécialiste-tailleur, et ce, dans le seul but de prendre nos mensurations! J'entre dans un petit bureau envahi d'esquisses de soutiens-gorge qui lambrissent les murs. Au milieu de la pièce, un tout petit homme chauve, relativement âgé, me sourit en brandissant son galon de couturière. Le tailleur juif s'exécute rapidement et note mes mensurations en marmonnant.

Pendant qu'il s'affaire, mon regard s'attarde sur l'une des affiches. Je reconnais Jane Russel dans toute sa splendeur, habillée d'un flamboyant soutien-gorge rouge.

«It's Jane Russel?

– Of course my angel! Dear Jane, she's a darling», me répond le petit homme.

Et j'apprends au cours de la conversation qu'il est le créateur des soutiens-gorge de Miss Russel. Il travaille pour Playtex depuis l'ouverture de l'usine et il est le seul à prendre les mensurations de l'actrice qui est l'image de la société! L'unique employé privilégié qui peut se permettre de voir, d'admirer et de mettre en valeur la célèbre poitrine.

«*What's her size?*» que je lui demande curieuse. Et le tailleur s'exclame: «*Gorgeous!*» Le petit tailleur est d'une discrétion absolue en ce qui concerne le tour de poitrine de sa célèbre mannequin.

Je tourne également avec Roseline Hoffmann, la fille du comédien Guy Hoffmann, dans une publicité pour Fleecy. Le produit est révolutionnaire: des feuilles d'assouplissant à utiliser dans la sécheuse. Nous sommes au milieu des années 70, quand même! À cette époque, on prend presque toujours le talent français pour les corrections d'éclairage. Ainsi, le talent anglais se repose pendant que le «*French talent*» se tape les spots! Ensuite les acteurs torontois tournent la scène les premiers, suivis des acteurs québécois.

Bref, la mise en scène est simple: Roseline descend un escalier en vitesse en criant Alice (c'est mon personnage) pour que je n'oublie pas le cycle de rinçage. Je me tiens près de la sécheuse en extirpant d'une boîte le miraculeux carré à insérer dans l'appareil.

Jusque-là tout va très bien. Roseline s'est tapé l'éclairage pour la scène de l'escalier, lorsque le talent anglais s'apprête à dévaler les marches en criant son texte.

«*Quiet please! Roll in three, two, one, action!*»

La comédienne anglophone descend l'escalier en faisant un tel boucan, vu son poids, que le *soundman* n'arrive pas à capter les «Alice, Alice, Alice» crachés par l'actrice rondouillarde. On fait une pause, on refait la scène, on arrête, on discute, on reprend, on s'arrache les cheveux, rien à faire! Le bruit des pas dans l'escalier est assourdissant. Il faut se rendre à l'évidence, la fille est trop grosse, quoi!

On se calme, on discute, on fait une pause, finalement on décide de tourner le talent français pendant qu'on cherche une solution au problème anglais.

Je n'ai jamais vu une scène se tourner aussi professionnellement. Roseline Hoffmann, telle une gazelle, descend l'escalier sans faire aucun bruit! On entend clairement ses «Alice, Alice, Alice» et lorsque le réalisateur crie: *«It's a take»*, l'équipe de production applaudit spontanément le *«French talent»*. Une merveille! J'ai souvent été témoin des performances «françaises» lors de tournages à Toronto. Nous sentions souvent une admiration marquée pour les talents québécois de la part des maquilleurs, coiffeurs, preneurs de son et autres membres de l'équipe.

Dommage que Roseline se soit retirée du milieu artistique. Elle avait tourné avec son père un conte de Charles Dickens, réalisé par Florent Forget pour Radio-Canada, où elle interprétait une aveugle avec une facilité déconcertante. J'ai beaucoup d'admiration pour cette comédienne talentueuse et très jolie.

Je tourne tour à tour des pubs variées: «Il fait beau dans le métro», une campagne pour la Société de transport de Montréal, avec Marc Messier et Judith Ouimet; «C'est vrai que c'est frais!», ma première pub pour la menthe Certs, avec Jean-Pierre Bélanger, l'ami d'Andrée Boucher; la bière Labatt; Coke avec le cinéaste Gilles Carle; la crème de beauté Ponds; American Express avec Henri Bergeron…

Ce tournage est assez pénible pour mon papa Henri. Celui-ci est porte-parole de la carte de crédit, et le hasard veut que je sois du tournage à Toronto. Mon pauvre papa Henri, grippé, aurait mieux fait de rester au chaud à la maison! Il fait tout de même le voyage jusqu'au studio à Markham, en banlieue de la Ville reine. S'il n'avait eu à dire que la célèbre phrase: «American Express. Ne partez pas sans elle!» le tournage aurait été simplifié. Mais le scénario est tout autre. Papa Henri doit dire un assez long texte face à une caméra perchée près des cintres du studio. Papa Henri a l'habitude de placer un texte au-dessus de la caméra et d'improviser les présentations. Mal en point, grippé et fiévreux, il n'arrive pas à se concentrer et à retenir les maudites phrases du script. Après plus d'une vingtaine de prises, le réalisateur s'écrie enfin: *«Cut! It's a wrap!»* Je crois un instant que papa Henri va s'écrouler sur place tant il est livide et en sueur. *«The show must go on»*, comme on dit dans le métier!

En ce qui concerne mon propre texte, je dois improviser quelques mots en espagnol mêlé de français, car je joue une touriste affolée ayant perdu sa carte de crédit. Nos rôles sont inversés! Dans l'avion qui nous ramène vers Montréal, nous trinquons en repensant à l'infernal tournage et je lève mon verre à la santé de mon beau-papa.

Zigoune et Totoche

> *«Quand l'enfant vient, la joie arrive et nous éclaire.*
> *On rit, on se récrie, on l'appelle,*
> *et sa mère tremble à le voir marcher.»*
>
> VICTOR HUGO

Nous sommes maintenant mariés depuis plusieurs mois et installés dans notre confortable maison, rue Westpark à Dollard-des-Ormeaux. J'ai quitté CKAC, je travaille trois matins par semaine sur les enregistrements de *Bobino* et je fais le saut à Toronto régulièrement pour des tournages publicitaires. Denys aussi fait le saut, en quittant la station francophone CKLM pour l'anglaise CHOM-FM. Depuis quelques lunes, nous berçons secrètement le désir d'avoir un enfant.

Mon ordonnance de contraceptifs oraux prend donc le chemin de la «filière centrale», c'est-à-dire la poubelle.

Un soir de janvier, je dresse la table comme d'habitude, au menu le plat préféré de Denys, steak, purée et petits pois. Une chandelle éclaire la cuisine jetée dans la pénombre, quand Denys entre dans la pièce. En voyant le décor et surtout mes yeux brillants comme des feux de Bengale, l'homme laisse simplement échapper:

«T'es enceinte!

– Comment le sais-tu?

– Tes yeux et ce champagne sont plutôt révélateurs!»

Nous sommes très heureux d'apprendre que nous serons bientôt parents. Voilà une autre étape importante que Denys et moi franchissons dans notre couple, mais aussi dans nos vies respectives. Je crois profondément aux cycles de sept ans. Le chiffre sept marque des changements importants tout au long de la vie. À sept ans, on a l'âge de raison, ensuite vient la puberté à quatorze ans; puis l'âge de raison s'amène à vingt et un ans et, par la suite, vous remarquerez souvent un changement significatif dans votre vie environ tous les sept ans. Pour d'autres, ce sera le chiffre neuf.

L'attitude de Denys, face à la grossesse, n'est pas celle d'un futur papa complètement gaga qui tâte le bedon de sa femme en criant comme un idiot pour que le fœtus entende. Bien au contraire! Denys demeure le même depuis que je le connais, stoïque et en parfaite maîtrise de lui-même. Les épanchements devant la famille et les amis, très peu pour lui merci. Aux yeux de plusieurs, Denys semble plutôt distant, parfois même froid. Il est vrai que l'homme garde son calme en tout temps. Rarement, j'ai vu Denys sortir de ses chaussettes. Ce qu'il affectionne particulièrement, ce sont les discussions avec son père et ses frères. Il va jusqu'à éperonner son vis-à-vis pour mousser le dialogue. Il aime les échanges passionnants et enlevés. C'est dans ces moments-là que l'homme s'échauffe un tantinet.

Tandis que pour moi, c'est une autre paire de manches! Je donne dans l'exagération, madame! J'ai ça dans le sang, c'est congénital! Je parle fort, je chante fort, je crie fort! Je touche, je tâte, j'embrasse fort! Autant la risette me traînait dans le «gorgoton», autant je souris à belles dents! La délivrance avant l'accouchement!

J'achète sans retenue, des toutous, des bibelots et des vêtements pour bébés, à la boutique Bécotine, tenue à l'époque par ma belle-sœur Lorraine. Je «bardasse» sans relâche, tel un oiseau confectionnant son nid.

À part la fatigue, je ne ressens aucun des autres symptômes de la grossesse. Tout se déroule normalement, et le Dr Gouin, voisin de mes parents, suit l'évolution de la gestation. J'apporte une attention particulière à mon alimentation et j'élabore fébrilement la décoration de la chambre d'enfant.

J'opte pour une couleur joyeuse et vibrante et je couds les rideaux et la couette dans une cotonnade parsemée de jolies pommes rouges sur fond blanc.

Le lit d'enfant est une antiquité familiale! En fait, il y en a deux.

Ma sœur Francine, enceinte aussi, et moi, nous prenons chacune un des lits dans lesquels ont dormi tous les cinq marmots Laplante. Ils tiennent bon, nos petits lits, malgré toutes ces années et, après un coup de pinceau et quelques ajustements nécessaires, papa monte mon carrosse d'enfant au milieu de la chambre décorée de pommes rouges pour le bébé à

[133]

naître. Nos parents sont ravis puisqu'ils seront bientôt doublement grands-parents pour la première fois!

Francine s'est mariée quatre mois après moi et accouche de la première petite-fille, prénommée Janie, deux mois avant moi.

En ce qui me concerne, la naissance est prévue à la fin du mois d'août 1979. Jusqu'ici, rien d'anormal, ma bedaine se gonfle rondement.

La fête du Travail passe sans le moindre «travail» côté bébé. Je m'inquiète sérieusement après un examen à l'hôpital Sacré-Cœur.

«Votre bébé n'est pas à terme; vous vous êtes trompée dans les dates!»

Oui, c'est facile de réciter la même rengaine. Mais au bout de deux semaines passées la supposée date, je redoute un problème plus sérieux. Le matin du 11 septembre, le lendemain de l'anniversaire de maman Yvonne, je franchis, valise en main, la porte de l'hôpital Sacré-Cœur, bien décidée cette fois à y rester jusqu'à ce que la cigogne passe! J'en ai marre, je suis affolée, et morte d'inquiétude.

Le même toubib décide de procéder à une amniocentèse. Il anesthésie un cercle de peau au-dessus de ma bedaine et pratique la ponction d'usage.

Rien! Rien ne s'échappe de la seringue plantée dans mon ventre! Rien!

Le médecin s'active nerveusement en me disant:

«Toussez madame, toussez!» pensant ainsi faire cracher un peu de liquide amniotique de ma grosse bedaine. Je tousse faiblement puis plus fort et encore et encore! Rien, madame! Il n'y a aucune éjaculation du précieux liquide dans lequel baigne le bébé!

Et voilà que le tortionnaire pique à froid sur mon pubis et recueille, victorieux, une seringue à moitié remplie de liquide rosâtre. Il m'achève en crevant mes eaux et me laisse seule avec l'infirmière.

«Qu'est-ce qui se passe maintenant?

– Votre travail a commencé. Nous allons vous donner un médicament pour accélérer les contractions», répond l'infirmière, en rasant partiellement mes poils mouillés et ensanglantés.

Bon! C'est parti mon kiki! Je suis soulagée et Denys me rejoint dans une chambre où l'on installe un moniteur fœtal sur mon ventre, le bras branché sur un jus médicamenté. Je me calme enfin et Denys me tend quelques magazines pour me changer les idées. Le futur papa me tient la main et repasse mentalement les différentes étapes apprises lors des cours prénataux.

Une première contraction pince le bas de mon ventre. Ouf!

«Une autre contraction! Denys ça fait mal!

– Respire bien, mon chaton, dicte lentement l'homme à mes côtés.

– J'ai beau respirer mon chaton, mais la dernière contraction était plus forte. Je vais en avoir pour combien de temps comme ça?

– Madame Laplante, le temps presse!» aboie mon médecin qui apparaît comme un fantôme avec sa «chienne» blanche.

«Nous avons analysé le liquide amniotique et le sang recueilli n'est pas le vôtre. Votre groupe sanguin est O positif et celui de l'analyse est celui de votre bébé, O négatif; nous devons procéder à une césarienne», déclare le sadique toubib entouré d'un impressionnant personnel infirmier.

Au même moment, un laveur de vitres franchit le cadre de la fenêtre de la chambre, outillé de son barda.

«Pourriez-vous revenir faire votre boulot un peu plus tard?» supplie mon mari, nerveux et inquiet.

Un infirmier termine le rasage complet obligatoire pour une chirurgie et je pleure et je crie, car les contractions redoublent d'intensité.

Je suis démolie. Terminé le beau rêve d'un accouchement naturel! On se dirige à toute vitesse en salle d'opération, et Denys me laisse avec l'équipe professionnelle, car l'entraînement prénatal ne comprend pas la marche à suivre pour un futur papa impuissant face à une césarienne d'urgence. Ses jambes ressemblent à des chiffes molles et ses lèvres broutent la même phrase: «Tout va bien aller! Tout va bien aller! Tout va bien aller!»

«Je veux allaiter ma puce! Je veux allaiter ma puce», que je réponds affolée.

On m'installe sur une table froide, le bras tendu vers l'anesthésiste et mon dernier regard est en direction de la porte de la salle d'opération où se tient mon médecin, le Dr Gouin, qui me regarde à son tour, impuissant et désemparé.

Fondu au noir...

On chuchote autour de moi. Je voudrais parler, mais ma gorge me fait horriblement mal. Je veux savoir! Est-ce un garçon, une fille? Quelle heure est-il? J'ai soif et mal au cœur. Des frissons parcourent mon corps endolori et je n'arrive toujours pas à articuler le moindre son. J'essaie de lever une main, un doigt, mais je suis encore branchée sur ces sales machines qui crient bip-bip! Ah, j'y suis! Je me trouve dans la salle de réveil! J'ai eu une césarienne et je veux savoir si c'est un garçon ou une fille!

«Garde! S'il vous plaît...

– Calmez-vous, madame Laplante. Tout va très bien.

– Est-ce que je peux...

– Vous avez une belle petite fille!»

Merci mon Dieu! J'ai enfin la réponse à mes angoisses depuis neuf mois et demi! Une fille! J'ai une fille! Je suis maintenant maman! Quel bonheur!

À 15 h 15, le 11 septembre 1979, est née une jolie puce de... 4 kilos!

J'ai l'immense joie de la prendre pour la première fois dans mes bras en fin de journée. L'infirmière en charge de la pouponnière me tend un petit paquet enveloppé dans une finette rose pâle.

«Bonjour ma puce! Je t'ai attendue si longtemps!» J'embrasse ses petites mains et je remarque ses cheveux fournis et noirs et son corps bien potelé.

«Tu as faim?» je lui demande en dégageant mon sein.

Garde St-Denis m'explique que souvent, à la première tétée, le bébé est somnolent et n'arrive pas à prendre le mamelon correctement. Il faut alors guider la bouche du nourrisson en appuyant délicatement sur son menton. «Cela facilite l'allaitement...»

Elle n'a pas terminé son explication que ma puce se jette sur mon sein et tète goulûment le précieux colostrum.

«Oh, elle est vorace!» s'exclame l'infirmière.

«Par ici la tétée! J'ai soif!» semble me dire ma puce.

Quelle sensation extraordinaire! Je flotte carrément dans un grand bain d'amour. C'est la détente la plus complète. Je suis seule maintenant avec ma fille, qui n'hésite pas à prendre l'autre sein.

Denys entre dans la chambre avec un énorme bouquet de roses rouges.

«Je t'aime!» Il m'embrasse tendrement et s'assoit au pied du lit. «J'ai fait le tour de la famille. Nos parents seront là bientôt.»

Les bouquets de fleurs garnissent la chambre rapidement. La visite défile ses félicitations et ses embrassades. Mes parents ont maintenant leur deuxième «totoche» et mes beaux-parents leur quatrième «zigoune».

Papa Henri surnomme affectueusement ses descendantes à jupe, ses «zigounes», et papa a toujours appelé ses filles «totoches». Il n'y a pour le moment aucun mâle ni d'un côté ni de l'autre. L'usine s'en tient à une production tout ce qu'il a de plus femelle!

«Votre choix est-il arrêté en ce qui concerne le prénom de la jolie zigoune?»

Elle s'appellera Martine, Martine Bergeron, notre belle puce d'amour!

Les sept finalistes au titre de Miss Laval VIII.
Je suis la troisième à partir de la gauche.

Ma première photo officielle,
à 20 ans.

Photo pour Miss Laval 1972.

*Eh oui,
c'est moi,
la nouvelle
maman
de Bobinette...
à 19 ans!*

Christine Lamer derrière son comptoir
imite non seulement la voix de Bobinette mais manipule elle-même la
marionnette.

CHRISTINE LAMER

la nouvelle maman
de bobinette

*Bobino (Guy Sanche),
Bobinette et...
la voix de Bobinette!*

De belles retrouvailles!

À l'occasion du lancement d'une campagne de l'Unicef, l'une des nombreuses apparitions publiques de Bobino et Bobinette après la fin des émissions quotidiennes.

À la météo,
sur les ondes de CKLM,
en 1972-1973.

Denys et moi à notre mariage, le 29 avril 1977.

Les «bedaines»:
Christine et Francine.

La naissance de Martine: Cécile,
Denys, Martine et moi, papa
Henri et maman Yvonne.

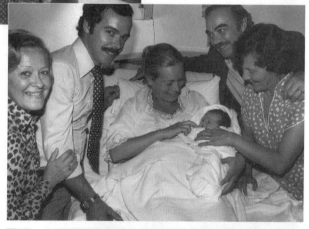

Martine
se remet
de ses
émotions!

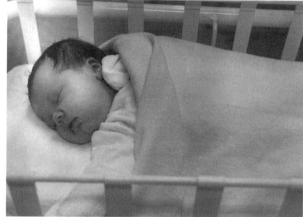

*Martine,
le jour de son baptême,
dans les bras
de son papa:
quelle ressemblance!*

*Ma puce
en vacances,
à 3 ans!*

*Martine
et Bobinette!*

*Martine lève son verre
au cours d'une croisière.*

*Martine
à 13 ans.*

*À l'occasion
de notre
25ᵉ anniversaire
de mariage,
Denys et moi
sommes
en compagnie
de Martine
et d'Owen.*

Chapitre 11

La merveilleuse aventure
de *Marisol*

Après le beau temps, la dépression!

L e retour à la maison, après six jours d'hôpital, est une délivrance. Je retrouve mes odeurs, mon beau lit, ma belle chambre. Je dois me reposer au maximum, car les enregistrements de *Bobino* recommencent 10 jours plus tard.

Martine est un bébé merveilleux. Elle dort, tète et fait d'adorables cadeaux dans sa couche. Un enfant allaité fabrique des selles plutôt liquides.

L'allaitement est facile avec les recommandations de la *Ligue La Leche*. J'ai du lait pour une armée, mes seins ressemblent à des obus prêts à exploser, j'éclabousse le mobilier et les murs et, souvent, je dois tirer mon lait pour éviter que Martine ne s'étouffe! Un véritable volcan, quoi! Mon soutien-gorge d'allaitement voisine le 42B! J'évite les gerçures et les crevasses en portant mes «cléopâtres». Certaines d'entre vous connaissez sans doute ces petits cercles d'étain fabriqués en Angleterre. Maman Yvonne les a utilisés lors de ses grossesses successives. Il suffit de passer les «cléopâtres» sous l'eau chaude, et l'étain se ramollit pour épouser le mamelon. Je les porte depuis le début de la grossesse et, avec l'huile d'amande douce, ma peau est souple et sans vergetures.

Le rituel est assez long après la tétée. Je lave mes seins, j'applique l'huile d'amande douce et je termine avec les «cléopâtres» et deux ou trois compresses d'allaitement, puisque mes robinets coulent parfois. Avec la tétée qui dure environ une heure, je passe mes journées au lit. Heureusement que maman chérie s'active en cuisine. Elle me prépare du foie de veau, que je déguste saignant! En soirée, pendant que je récupère entre deux tétées, maman et Denys mangent leur tarte aux pacanes en regardant le *Carol Burnett Show* à la télé. Pendant la nuit, mon Denys va chercher la petite pour la tétée, et s'occupe de changer la couche, lorsque je termine mon quart de travail. Un amour!

Un matin, rien ne va plus. Je me sens à côté de mes pompes et je pleure en regardant une pub de beurre d'arachide à la télé. La fameuse dépression post-partum attaque sauvagement mon équilibre hormonal. Oh, madame! Que ça va mal! Et Denys qui travaille et qui semble si loin de moi et de mes préoccupations maternelles. J'étouffe littéralement et j'essaie d'exprimer le malaise qui me tord l'intérieur. Rien n'y fait! J'ai l'impression que tout s'écroule! Denys reste calme et cela me tape sur la «pitoune nerveuse», sur le système, quoi!

Je comprends les gens qui vivent, malheureusement, des dépressions successives. Comme on peut se sentir désemparé et surtout seul! J'ai beau tendre la main vers Denys, il se consacre plutôt à son travail. Je le revois au bout de la table de la salle à manger, le nez dans sa paperasse, pendant que j'essaie d'expliquer la tempête qui rugit en moi. Je suis pourtant assise très près de lui, mais je le sens à des kilomètres; ma voix ne porte plus le message. La bouée ne vient pas. C'est complètement absurde. Et pour achever le tableau, je dois réduire une tétée, car je retourne bientôt en studio. La crise, quoi! Finalement, le changement d'air, le boulot et les précieux conseils de ma petite maman effacent rapidement les sombres traces d'une dépression passagère. La seule contribution de l'homme dans cette histoire est sa grande patience durant l'épreuve.

Un personnage marquant de la télévision

Une audition se tient bientôt dans les studios de Télé-Métropole pour le rôle-titre d'un nouveau téléroman, *Marisol*. Huit mois après l'accouchement, j'ai retrouvé ma taille. J'ai cessé l'allaitement après trois mois et mes obus ont fondu. Quelle tristesse! Le sein droit a particulièrement tendance à regarder vers l'enfer. Mais bon, ça peut aller avec un attelage approprié!

Je me prépare fébrilement pour l'audition en apprenant le texte parfaitement, sur le bout des doigts afin de me concentrer sur le jeu. Le texte d'audition est assez coton; Marisol affronte son mari dans une scène qui se termine dans les larmes. J'ai heureusement toujours eu de la facilité pour ouvrir les robinets. Je suis une braillarde. Je vous l'ai déjà mentionné!

Le jour de l'audition, j'ai un horrible trac et un début de rhume. Voilà autre chose! CV d'une main et mouchoir de l'autre, je me présente au studio. Celui qui me donne la réplique n'est nul autre que Jean Marchand, comédien dans la série *Le clan Beaulieu*, qui est le gros hit depuis *Les Berger*.

Je ne sais expliquer le phénomène des atomes crochus. C'est la première fois que ma route croise celle de Jean, mais après une seule lecture avant l'audition devant la caméra, Jean et moi formons un couple crédible et naturel. C'est la magie d'une compréhension mutuelle et instantanée; nous sommes musiciens tous les deux, et nos âmes se soudent en harmonie. Grâce à ce lien unique, je passe une audition remarquée et le réalisateur Gaétan Bénic m'appelle le lendemain pour m'annoncer la bonne nouvelle.

Jusqu'à maintenant – je travaille dans le milieu de la télévision depuis sept ans –, on ne pouvait mettre un visage sur mon nom. La comédienne se cache derrière un castelet ou apparaît dans des pubs télé en changeant constamment de tête. Le personnage de Marisol va bousculer rapidement cette routine, et de façon assez spectaculaire.

Scène 1

Je rencontre les acteurs qui forment la famille et les amis de Marisol. Suzanne Langlois joue le rôle de ma mère, et Bertrand Gagnon, de mon père. Mon frère est incarné par Robert Maltais, et le jeune Martin Taillandier est mon fils. L'oncle de Marisol est interprété par nul autre que *Le Survenant*, Jean Coutu. Suivent Élizabeth LeSieur, Louise Deschâtelets, Lorraine Desmarais, François Trottier et Réjean Lefrançois. Cette magnifique distribution chapeautée par une équipe technique solide traverse la première année dans la controverse, les ennuis multiples, si bien que notre deuxième saison est compromise. Des explications s'imposent. Avez-vous cinq minutes? Merci!

Scène 2

Les textes de *Marisol* sont signés Micheline X. Or, nous remarquons, pendant les répétitions, un phénomène plutôt étrange. Lorsque les acteurs ou le réalisateur demandent des explications sur un personnage ou une situation, l'auteure, perplexe et confuse, ne peut répondre immédiatement et s'éclipse parfois vers un téléphone public, pour revenir par la suite avec une réponse satisfaisante. Étrange, et en même temps angoissant, me direz-vous!

Le mystère de l'auteure en panne est percé par Gaétan Bénic qui soupçonne, depuis le début, la triste imposture. Lorsque Micheline X se mêle à plusieurs reprises de la production et surtout de la réalisation, c'est la goutte d'eau de trop dans la mare aux canulars! Gaétan Bénic sort de ses gonds. L'auteure, désormais *persona non grata*, se voit interdire les portes du studio à tout jamais. Une plainte formelle est déposée à la direction, en raison de l'odeur de roussi qui flotte sur la production. Voilà le tableau après quelques épisodes!

Scène 3

Nous apprenons que Gaétan Bénic quitte la production. Celui-ci est remplacé par Claude Colbert. Nous terminons la première année dans le suspense le plus total. Serons-nous de retour dans la grille-horaire l'automne suivant? Et surtout, qui écrira les textes de *Marisol*? Car Micheline X, vous vous doutez bien, n'est qu'un prête-nom et le véritable auteur de la série, qui commence à être très populaire auprès du public, n'est nul autre que le fondateur de JPL Productions, le créateur de Pépinot et Capucine, peintre illustre et bien connu: Jean-Paul Ladouceur! Enfer et damnation!

La direction de Télé-Métropole est furieuse et assomme le pauvre Jean-Paul Ladouceur, qui ne demande rien d'autre que de laisser sa plume peindre les aventures de sa création, la douce Marisol. Ce tableau me rappelle celui, vécu quelques années auparavant, par mon papa à Radio-Canada. La politique de Télé-Métropole est similaire à celle de son compétiteur; dans le cas Ladouceur, l'auteur se place en conflit d'intérêt à cause de son poste de PDG de la boîte de production JPL.

Out Ladouceur! Plus de textes donc plus d'émissions! Entracte!

On s'accorde une pause thé vert, qu'en dites-vous?

Scène 4

Claude Colbert et toute l'équipe tiennent mordicus à ce que la série reste à l'écran. Claude explique à la direction que le public aime bien suivre chaque semaine les malheureuses aventures de Marisol, les décors ne sont pas rentabilisés, les acteurs veulent garder leur job, enfin il termine avec l'argument massue: les cotes d'écoute! Depuis le début, la série se maintient en bonne position, pourquoi fermer boutique?

Mais qui est en mesure de prendre la relève? Un nom sur la liste retient l'attention: Gérald Tassé. Cet auteur possède une feuille de route impressionnante. Il a signé, entre autres, les textes des *Couche-tard*, de *Moi et l'autre* en collaboration avec Gilles Richer, et de plusieurs autres productions gagnantes. Lorsque Gérald Tassé se présente un jour avec le scénario du siècle, Claude Colbert et la direction n'hésitent pas une seconde. L'arrivée d'un nouveau personnage est le pivot rêvé qui propulse la série en première position. Et ce rôle n'est ni celui d'un avocat, d'un plombier ou d'un chauffeur de taxi, mais celui d'un comte espagnol!

Scène 5

Pour dénicher le comédien qui interprètera le rôle du comte espagnol, Claude Colbert passe des auditions et me demande de donner la réplique à une douzaine de comédiens. Toute la journée défilent des comédiens qui ont travaillé très fort l'accent espagnol, certains un peu trop fort d'ailleurs. Aucun ne lit le texte naturellement, une vraie pitié! Il ne reste qu'un candidat et il est près de 16 h. Nous sommes vannés et démoralisés.

Puis il entre dans la pièce. Silence.

«Bonjour! Luis de Cespedes.»

Ah, ce sourire! Et cette tête! Oh, madame!

«Luis, vous êtes prêt à lire le texte? demande Colbert.

– Mais avec plaisir! répond le comédien avec son accent français.

– Vous êtes madame O'Brien, je présume? Je me présente, Juan Maria Portillo de Gonzales. Mais vous pouvez m'appeler Juan tout simplement, c'est plus court!»

Colbert et moi sommes sidérés! L'accent espagnol parfaitement naturel et qui coule de source sort de sa bouche, on croit rêver! Et le reste du visage n'est pas déplaisant, bien au contraire. Il quitte la pièce aussitôt le texte terminé et nous laisse cloués à nos fauteuils.

Y a pas de doute! C'est notre homme, son «comte est bon»! Luis de Cespedes jouera le rôle qui en fera rêver plus d'une. Le nouvel amoureux de Marisol, le beau Juan!

Scène 6

Je parlais plus haut des atomes crochus. Le même phénomène se répète en travaillant avec Luis. Une chimie naturelle s'installe entre nous et nos personnages respectifs. Le bonheur! Aussitôt les premiers épisodes de la deuxième année enregistrés, nous sentons que nous tenons un énorme succès, et je le dis sans prétention. Gérald Tassé imagine carrément le conte de fées, style amants de Vérone, version 1981. Marisol et Juan se vouvoient et se touchent du bout des yeux. C'est la folie collective dans les foyers du Québec lorsque les protagonistes échangent pour la première fois un tendre et chaste baiser, avec en sourdine le *Concerto* d'Aranjuez pour guitare!

«C'est trop long! C'est trop long!» s'exclame Jean Coutu en parlant des baisers prolongés qui ponctuent par la suite chacune de nos scènes. Mais le public en veut, en redemande, c'est le délire dans les chaumières, quoi!

Laissez-moi vous dire, chères dames de mon cœur, que je suis maintenant reconnue partout où je pose le pied. On chuchote dans mon dos:

«C'est elle! R'garde Thérèse! C'est elle, elle, la Marisol de la télé! Marisol et son beau "Johanne".»

Oui, je sais, plusieurs d'entre vous ont peine à prononcer le prénom du prétendant de Marisol. Il faut dire Juan en grasseyant le «j», à l'espagnole, quoi!

J'avoue que tout le fla-fla populaire est flatteur, mais ma réaction première en est une de grande timidité. Je ne sais quoi répondre lorsque vous m'abordez sur le trottoir ou dans un centre commercial. À ce chapitre, Denys m'apporte ses précieux conseils. L'homme a l'habitude de cette reconnaissance du public puisqu'il a grandi aux côtés d'une grande vedette du petit écran, son papa Henri Bergeron.

«Écoute mon lapin, ils te connaissent puisque tu entres dans leur salon et leur intimité chaque semaine. Tu fais donc comme si tu les connaissais toi aussi. Ce n'est pas sorcier, ils veulent te parler, tu leur dis bonjour et le reste va tout seul.»

Cré Denys! J'avoue que mes débuts sont difficiles, mais le message est efficace et l'exercice public gomme un peu de ma timidité.

À votre tour maintenant. J'aimerais que vous m'expliquiez une chose: comment se fait-il que vous puissiez me reconnaître, malgré que je sois affublée d'un chapeau, de lunettes fumées et parfois pas maquillée? Je suis renversée à tout coup!

À ce propos, voici une anecdote cocasse: je prends des cours de danse chez Louise Lapierre, rue Mont-Royal, aux alentours de 1983-1984. Après les leçons, je m'arrête toujours au rez-de-chaussée de l'école où se trouve un magasin Woolworth. J'achète une babiole pour Martine ou pour la maison. Bref, je circule entre les allées, lorsque je surprends la conversation suivante:

«Hon, Armande, as-tu vu la fille d'l'autre bord? C'est l'actrice qui joue à tévé! T'sé là, Marisol et son beau "Johanne". A fait-tu assez dur à ton goût?»

En entendant la remarque, je suis très insultée! Mais en apercevant ma tronche dans le rétroviseur de ma bagnole, je comprends! Oui, madame, vous aviez raison. Le teint blafard, pas de rouge à lèvres, comme dirait maman: «L'air d'une morte!» Je me rends compte alors que je me dois d'être toujours au mieux de ma forme, lorsque je vous rencontre. Je sais parfois que vous êtes déçues, moi également. Il m'arrive de rencontrer des gens du métier qui auraient mieux fait de rester à la maison! Pardon? Vous voulez des noms? Ah, non! Pas question! Ce que vous pouvez être curieuses, quand même!

Je peux cependant vous parler des acteurs et actrices qui sont d'une gentillesse et d'une générosité extrême.

Continuez votre lecture et vous tomberez fatalement sur ces passages. Bah! Je suis timide, mais j'aime jouer des tours! Un fond de Bobinette qui traîne dans mon sac à malice. Vous me pardonnerez, j'espère?

Scène 7

Où en étais-je? Ah, oui! La troisième et dernière année de *Marisol*.

Elle rime avec bonheur et horreur. Bonheur, car les célèbres amoureux vont finalement se marier; horreur, car TVA décrète un lock-out. Les techniciens font du piquetage sur le trottoir devant l'édifice, et nous devons tous franchir la ligne de techniciens et de machinistes pour rejoindre les studios. Je déteste la situation et je peste surtout contre l'Union des artistes qui n'a pas pris position en faveur des techniciens. Notre présidente de l'époque, Louise Deschâtelets, aurait pu facilement interdire aux comédiens de franchir les piquets et la situation aurait été réglée en moins de deux. Mais non! Voilà maintenant plusieurs semaines que le lock-out persiste. Je croise les visages défaits et en colère des techniciens avec lesquels je travaille habituellement et pour qui j'ai beaucoup d'estime et de sympathie. Avec la complicité du président du syndicat de Radio-Canada, le bruiteur de *Bobino*, Pierre Carrière, je dépose une somme d'argent pour le fonds de réserve des techniciens de TVA. C'est pas une terre en bois debout, mais je crois que mon geste est apprécié.

En studio, c'est une autre paire de manches! Les patrons descendent de leurs bureaux pour produire les diverses émissions, dont celle de Guy Fournier avec Yves Corbeil et Louise Deschâtelets, *Peau de banane*. Les décors de *Marisol* et de *Peau de banane* sont montés en permanence, faute de machinistes, dans le grand studio G. Nous travaillons alors en technique cinéma, à la caméra, Claude Taillefer, tour à tour à la réalisation, Jean-Louis Sueur et Paul Lepage. Ce dernier rêve plutôt d'émissions sportives! Cher Paul! Monsieur Sueur devra subir une opération à la jambe et quitter la production, à regret. Depuis le début de l'aventure, nous avons travaillé avec quatre réalisateurs. Un cinquième aurait pu mettre la main à la pâte, mais Gérald Tassé ne s'entend pas avec le successeur de Claude Colbert, Mme Esther Lapointe. Je retrouverai cette dame plus tard sur le plateau de *L'or du temps*.

Le jour J approche. Le mariage de Marisol et de son comte espagnol, le moment rêvé depuis longtemps par les fidèles téléspectateurs, paroxysme ultime de l'amour triomphant! Depuis plus d'un an, je retrouve avec plaisir Yvette Brind'Amour, qui joue ma future belle-maman, la belle Nathalie Naubert et Anne Bédard, qui joue la sœur de Juan.

Pour les scènes du mariage, l'auteur Gérald Tassé écarte Bertrand Gagnon du scénario. Le père de Marisol, victime d'une attaque, se retrouve à l'hôpital, si bien que mon pauvre Bertrand ne sera pas de la fête. Celui-ci en voudra longtemps et avec raison à Gérald Tassé. Depuis trois ans, Bertrand joue avec talent le bon papa québécois et, pour le tableau final qui termine l'histoire d'amour, il n'est pas de la noce! Lorsque je tourne quelques jours avant, la scène d'hôpital avec Bertrand, de véritables larmes perlent aux yeux de celui qui a interprété mon papa avec brio pendant trois ans.

Le tournage du mariage demande une journée complète, à une caméra. Le travail avec une équipe régulière aurait été en boîte en quelques heures! Celui qui tient le rôle de l'officiant est Jean-Paul Dugas. Avec son humour particulier, il détend l'atmosphère. Jean Coutu brasse un paquet de sous qu'il a toujours dans ses poches pour chasser son impatience. Yvette Brind'Amour tricote dans un coin, entre deux prises. Robert Maltais, qui a mis sur pied le «One Take Club», en est pour ses frais lorsqu'on reprend une scène trois fois! Luis reste calme comme d'habitude, et nous pond sa sempiternelle réplique en souriant: «Oui m'enfin, j'ai pas que ça à faire moi! J'ai des petites cailles au four!»

Enfin, la dernière scène est bouclée, Juan embrasse non pas les lèvres de Marisol mais la main de sa nouvelle épouse d'un délicat baiser. Et vive les mariés! Photos pour les journaux et les magazines, et nous partons non pas en voyage de noces, mais au resto pour le «dîner de noces». Fin.

Dernière scène

Quelques mois plus tard, je me retrouve attablée avec mon mari, Denys Bergeron, dans un restaurant de Québec pour les festivités du carnaval. Une gentille dame s'approche et me demande:

«Madame Lamer, où est votre mari?»

Je suis un peu perplexe en entendant cette question puisque mon mari est assis juste à mes côtés!

«Eh bien ma chère madame, il est ici!

– Ah, non! C'est pas lui! Où est monsieur le comte?»

Le mariage de Marisol avec son comte espagnol, dont les cotes d'écoute ont atteint des sommets records, 2 244 000 téléspectateurs fidèles et passionnés, a brouillé les cartes. Cette fois, la fiction dépasse la réalité!

J'explique gentiment à la dame que, dans la vie, j'ai épousé il y a quelques années Denys Bergeron. La pauvre dame, ébranlée par mon explication et surtout déçue de ne pas rencontrer le mari de Marisol, le beau comte espagnol, répond avec tristesse: «Ah bon! Bonjour, monsieur Lamer!»

Je garde un souvenir impérissable de cette fulgurante saga télévisuelle.

Grâce à ce premier rôle à la télévision, je participe à de nombreuses émissions, soit comme invitée soit à titre de co-animatrice. C'est ainsi que je coanimerai le talk-show de Michel Jasmin à quelques reprises. Nous sympathisons rapidement et l'animateur-vedette me donne carte blanche. Je m'en donne à cœur joie en chansons et, au piano, je joue un boogie-woogie endiablé pour l'auteur de *La Petite Patrie*, Claude Jasmin. J'exécute aussi un numéro de danse à claquettes avec mon professeur Bernard Bourgault. Michel Jasmin est un extraordinaire communicateur, un homme généreux et profondément humain. Je suis si heureuse pour lui qu'il soit revenu au petit écran, après de longues années loin de la télé.

Depuis la fin de *Marisol* jusqu'à ce jour, Luis de Cespedes et moi gardons contact. L'interprète de l'amoureux de Marisol est devenu un de mes très bons amis. Il y a environ cinq ans, Luis a célébré ses 50 ans, entouré des siens et de ses meilleurs amis. Denys et moi étions présents pour l'occasion. Je dois vous dire mes chéries que mon Luis vieillit très bien! Il est toujours aussi beau, aussi doux et d'une extrême délicatesse envers les gens qu'il aime. Depuis quelques années, Luis est un as du doublage. Vous entendez sa voix lorsqu'il double celle d'Al Pacino, entre autres.

Avant de refermer l'album-souvenir de l'incroyable aventure de *Marisol*, je relis tous ces nombreux articles de presse et de magazines qui lui ont été consacrés. Plusieurs journalistes ont signé des articles concernant mes rôles de Bobinette, Marisol et les autres. Un journaliste en particulier a, ô combien de fois, occupé sa plume et ses pensées de ma petite personne. Il s'appelle Denis Monette. Ce journaliste aguerri nous a livré ses sentiments les plus profonds et les plus tendres, dans ses billets dans *Le Lundi*, et ce, pendant 25 ans.

Depuis notre première rencontre, qui remonte à 1980, nous nous sommes liés d'une sincère amitié. Depuis 10 ans maintenant, Denis Monette est un écrivain à succès. Ses romans sont attendus d'année en année par ses lecteurs et ses lectrices assidus, dont je suis. Son talent d'écrivain et sa détermination de Sagittaire, et un 10e roman paru au début de 2003, font de lui un auteur prolifique, et l'un des meilleurs vendeurs au Québec.

Un jour, Denis m'a suggéré de coucher sur papier mes idées et mes sentiments.

«Tu verras, ma chère Christine, comme le fait d'écrire calme la tête, le cœur et l'âme.»

Je dois t'avouer, mon beau Denis, que l'exercice est merveilleux, angoissant et libérateur à la fois!

Scalpel et bistouri

Après la première saison de *Marisol*, je développe un sérieux complexe. En voyant ma tête à l'écran chaque semaine, je constate que les cernes sous mes yeux s'accentuent et que, disons-le carrément, j'ai de sérieuses poches au-dessous et au-dessus de l'œil. J'ai déjà consulté le Dr Papillon à ce sujet, mais je ne me sentais pas alors prête pour une opération majeure aux yeux. Faut dire également que le même Dr Papillon avait l'avant-bras dans le plâtre, ce qui avait refroidi mes élans de coquetterie.

Je parle de coquetterie, mais c'est également un sentiment beaucoup plus profond qui nous tenaille. Je ne suis pas la seule personne qui a subi ce genre d'opération, et plusieurs d'entre vous comprennent cette détresse bien légitime. Pour moi, c'est une fixation! Je ne regarde que mes yeux, à l'écran, devant le plus petit miroir qui me renvoie sans cesse une image démesurément grossie de mes yeux bouffis et cernés. Cette image de nous-même ronge insidieusement le moral et, curieusement, ce n'est pas notre entourage immédiat qui nous encourage à passer sous le bistouri.

Mon mari ne m'a jamais fait la moindre remarque. Faut dire que l'homme a toujours été rempli de délicatesse et de tact envers moi. Au départ, ma mère me déconseille l'opération. Il est vrai que le chirurgien peut rater un visage, un nez, et le résultat est désastreux et souvent irréparable. Il faut à ce moment-là magasiner son toubib, avoir parfaitement confiance en celui qu'on choisit, et surtout être prête sur les plans psychologique et physique. Il est préférable de choisir le bon moment de l'année pour une telle opération. La saison estivale est plus difficile en raison de la chaleur et du soleil. On doit rester à l'abri des rayons du soleil, et la chaleur occasionne souvent des maux de tête. En résumé, la convalescence est plus ardue l'été que pendant les saisons fraîches.

Je subis donc ma chirurgie au printemps, aussitôt que le tournage de *Marisol* est terminé. Mon esthéticienne Alice Quilès me recommande quelques chirurgiens, dont le Dr Dansereau. Ne cherchez plus le Dr Dansereau aujourd'hui, car il a pris sa retraite.

Je sympathise immédiatement avec lui et je suis confiante du résultat. Je choisis non seulement la date mais également l'heure de mon opération, un mardi matin. Pourquoi, me direz-vous? Je crois que le lundi matin n'est pas souhaitable, surtout après une fin de semaine mouvementée! Le matin est cent fois mieux que d'être la dernière opérée de la liste. La main d'un chirurgien se fatigue et les réflexes ont parfois tendance à s'atténuer passé 15 h.

Le jour de l'opération à Maisonneuve-Rosemont, je suis très nerveuse et anxieuse. On me donne un calmant pour affronter la salle d'opération. Avant d'y entrer, le D' Dansereau me rassure en me serrant les mains et je réponds la bouche pâteuse que j'ai confiance en lui. Mon corps flotte agréablement et le reste n'est qu'un rêve... On m'a littéralement assommée, ma parole!

Denys me ramène à la maison, car j'ai les yeux entourés de bandelettes, je n'y vois que dalle! J'ai un léger mal de tête, sans plus. Deux jours plus tard, je ressemble à un boxeur aux yeux tuméfiés. Mais malgré mes ecchymoses bleutées, je sais que l'opération est un succès. Il faut avoir confiance au fond, car je suis convaincue qu'une attitude positive et du repos sont garants d'une bonne guérison. N'allez pas faire de jogging ou encore pelleter la neige! *Superwomen*, de grâce, retenez-vous un tantinet, *please*! À la rigueur, demandez à un parent de garder les marmots un jour ou deux. Accordez-vous un temps d'arrêt, c'est en partie la clé d'une bonne guérison. Après tout, vous y avez investi des sous et vous voulez un résultat tangible, alors...

Deux semaines après l'opération, il ne reste plus aucune trace jaunâtre. La remarque la plus flatteuse est: «Tu as l'air reposé! Reviens-tu de vacances?»

Je subirai une autre blépharoplastie, 10 ans plus tard. Le résultat sera moins spectaculaire que la première fois. Après une saison des *Anges du matin* et de *L'or du temps*, je suis plus fatiguée et l'opération se fait au mois de juin. Rappelez-vous ce que je vous ai dit plus haut. La chaleur et le soleil sont à éviter à tout prix. J'aurai également une augmentation mammaire, question de redresser les seins atrophiés par l'allaitement. Je choisis une prothèse en gel de silicone, car les prothèses d'eau salée n'existent pas encore. Cette opération est majeure et délicate. Certaines femmes connaissent divers problèmes, notamment le rejet de la prothèse, des infections ou autres. Encore une fois, posez les bonnes questions à votre chirurgien. Lorsque celui-ci prend le temps d'y répondre, il y a de fortes chances qu'il prenne également le temps nécessaire en salle d'opération. L'intervention demande beaucoup de minutie et ne se bâcle pas en une demi-heure. Pour ma part, je n'ai pas eu de problème et l'opération remonte à il y a près de 12 ans maintenant.

J'aurai également recours à l'esthétisme, en dentisterie. Mon dentiste et ami Robert L'Heureux corrigera l'apparence de mes dents de la mâchoire supérieure avec des facettes de porcelaine. Ce procédé est beaucoup moins coûteux que les couronnes, et le résultat est spectaculaire. Voilà maintenant plus de 15 ans que mon sourire est éclatant grâce à ces petits miracles cimentés sur mes propres dents!

Une autre chirurgie, cette fois mineure, a été pratiquée il y a quelques années. Il s'agit de la fameuse liposuccion. Encore une fois, ne vous faites pas avoir par n'importe quel chirurgien. Plusieurs médecins vantent le procédé de façon exagérée et actionnent leurs canules aspirantes brutalement. Optez pour les professionnels qui en font leur spécialité. Demandez à des dames et à des messieurs qui ont vécu l'expérience de vous diriger vers leur chirurgien si le traitement a été concluant.

Pour terminer le chapitre, comme j'ai toujours eu en horreur les lunettes et les lentilles cornéennes, j'ai opté pour la kératotomie radiale. Il s'agit de pratiquer des incisions en rayons sur la cornée, à l'aide d'un scalpel, pour enrayer une affection de l'œil, la myopie. C'est le Dr Jacques Grégoire de Sherbrooke qui a pratiqué l'opération avec succès. Ce même Dr Grégoire est une sommité dans son domaine. Il a enseigné cette technique à de nombreux ophtalmologistes, si bien qu'aujourd'hui une multitude de cliniques foisonnent partout au

Québec et ailleurs. Depuis quelques années maintenant, les spécialistes préfèrent utiliser le laser pour ce genre d'intervention. L'éblouissement durant les premiers jours est normal. Il tend à s'estomper au fil des semaines.

Le succès de n'importe quelle chirurgie et d'une convalescence réussie est directement lié à une bonne hygiène de vie, à de l'activité physique et à une excellente alimentation. Si vous continuez à fumer votre clou de cercueil, pas étonnant que vous ayez une peau grise et terne. Même chose pour l'alcool et les boissons gazeuses. J'aime beaucoup les repas gastronomiques arrosés d'un bon rouge, mais pas tous les jours que le bon Dieu amène, quand même!

Le soutien moral est à prescrire. Un compagnon ou une compagne de vie qui vous aime et vous épaule est selon moi la meilleure pilule à prendre au besoin!

Hum! Je sens une question qui agite vos lèvres: «Et si c'était à refaire, madame Lamer?»

Ma réponse est un gros oui! Je n'hésiterais pas une seconde. Par contre, en ce qui concerne les opérations futures, là j'hésite beaucoup. Je sais qu'il existe des nouvelles techniques, des mini-lifts, genre rafraîchissement, et le fameux Botox! Là, je me méfie car, après tout, on vous injecte une toxine botulique, à l'origine produite par la bactérie responsable du botulisme, une intoxication alimentaire grave, car il s'agit d'un poison très puissant qui peut entraîner la mort! La toxine botulique est utilisée depuis longtemps en médecine pour remédier à certains spasmes musculaires, les tics du visage, par exemple. Mais depuis quelques années, les «Botox-parties» où les invités sablent le champagne entre deux injections de Botox sont populaires, à un point tel que certains spécialistes se posent de sérieuses et alarmantes questions sur ce médicament contenant cette puissante neurotoxine dont les effets à longs termes sont encore inconnus.

L'intervention consiste à injecter à répétition, par exemple au front, la toxine qui paralyse les muscles dont la contraction, au fil du temps, induit la formation de rides.

Pour ma part, c'est un gros non. Et les injections sont fatalement à refaire un jour ou l'autre, tout comme la liposuccion. Que voulez-vous! On ne peut échapper à la vieillesse; même si le visage et le ventre sont au garde-à-vous, les mains reflètent toujours notre âge véritable. Essayons de garder la jeunesse de notre cœur, notre tête en folie et notre âme en paix, c'est déjà beaucoup! Cela répond à votre question?

L'aventure de Marisol: *une scène avec Jean Coutu.*

Mon personnage écoute avec attention celui de Robert Maltais.

Dans une scène avec une comédienne sympathique, Suzanne Langlois.

Autour de la table avec Lorraine Desmarais,
Suzanne Langlois et Robert Maltais.

Le grand jour! Au bras de mon «père» Jean Coutu.

Mon beau comte a dit «oui»!

Chapitre 12

Une rose
en or

Martine et Martine

A près la naissance de Martine, j'ai le bonheur d'avoir maman chérie à mes côtés durant les premières semaines.

Lorsque le boulot reprend, maman s'occupe de ma puce et puis, un beau matin, elle craque. Maman refoule depuis des lunes un bon mélange de déceptions, de frustrations, et il faut faire le ménage, quoi! Elle se tape alors une bonne dépression. Elle descend très loin dans le passé et n'arrive plus à remonter la pente. Le déclencheur semble avoir été la naissance de ses petites-filles, Janie et Martine.

Je me souviens qu'en me voyant allaiter ma fille, maman semble morose et souligne qu'elle aurait dû faire la même chose pour ses cinq enfants. Elle tricote depuis longtemps un chapelet de reproches et de refoulements. Lorsque tout cela explose, la toile n'est pas un chef-d'œuvre, croyez-moi! Maman ne mange plus, garde le lit, un chapelet au cou en guise de collier. Elle sombre petit à petit, et grand-maman Marguerite est sa bouée de sauvetage. Avec une grande patience et beaucoup d'écoute, sa mère réussit là où nous échouons tous, papa en tête.

Pendant cette sombre période, je confie Martine à mon amie Diane «Didi» Giardetti quand je suis en studio. Elle est un ange pour Martine, et je répète sans cesse à maman de ne pas s'inquiéter pour ma puce qui est entre les mains de sa nouvelle gardienne Didi.

Un jour, nous prenons la décision d'avoir quelqu'un à la maison en semaine, car Denys et moi sommes débordés. Nous engageons alors Martine Brotherton, une fille de la Gaspésie qui nous a été recommandée par la secrétaire de Pierre Péladeau. À cette époque, Denys travaille pour Quebecor. Notre fille surnomme sa gardienne «tantine», si bien que lorsque je suis en studio pour *Marisol* et que j'ai Martine au bout du fil, cela donne une conversation intéressante: «Oui Martine, passe-moi tantine, allez Martine passe-moi tantine!» Ce qui fait beaucoup rigoler Luis de Cespedes.

Martine Brotherton cuisine d'excellentes dorades aux tomates, fait les courses et s'occupe très bien de notre fille. Elle restera chez nous pendant un peu plus de trois ans.

Martine à l'école

Martine fête ses quatre ans et fait son entrée à la pré-maternelle. Nous choisissons l'annexe nord du Collège Français, situé à Cartierville.

La transition entre la maison et l'école s'effectue relativement bien, et Martine semble s'adapter à son nouvel horaire qui commence à 8 h 30 et se termine à 15 h. J'ai le beau rôle d'aller chercher Martine l'après-midi; par contre, Denys assume la tâche plus difficile de la rentrée le matin. Aussitôt que la voiture arrive près du collège, Martine se plaint de maux de ventre. Et lorsque Denys dépose notre fille en face de l'annexe, celle-ci se réfugie sous le perron de bois du collège et pleure, recroquevillée sur elle-même, la tête sur son sac à dos. Le tableau est déchirant. Souvent Denys revient pour consoler notre puce et reste auprès d'elle jusqu'à ce que la cloche sonne la rentrée. Le manège dure facilement plusieurs semaines. Par la suite, Martine a l'estomac moins noué et le cœur plus léger en entrant dans la cour de l'école.

Avec le recul, cette tranche de notre vie à trois me semble démesurément folle. J'ai la nette impression que nos têtes de parents sont concentrées sur le boulot et pas assez sur notre fille. Cinq ans ont passé en coup de vent, et voilà que notre Martine est à l'école! Je regarde les photos de la naissance, des premiers voyages, des anniversaires, et je me dis que nous avons toujours accordé du temps à Martine, mais est-ce assez? Je relis *Tout se joue avant six ans* de F. Dodson, ma bible depuis que la puce logeait en mon sein. Sa théorie des six premières années de vie qui, à elles seules, structurent la fondation de toute une vie sonne l'alarme de ma culpabilité. Sommes-nous de bons parents? Accordons-nous assez de temps au noyau familial?

C'est curieux tout de même; mes parents se questionnent également 30, 40 ans plus tard! Avons-nous été trop sévères? Trop indulgents? Et je m'empresse de leur répondre: «Vous avez été d'excellents parents, justes envers vos cinq enfants, sans être trop sévères; vous nous avez donné ce qu'il y a de meilleur en vous privant bien souvent.»

Quand je croise de nouveaux parents, je m'empresse toujours de leur rappeler combien il est important de profiter de chaque seconde qui passe. Nos marmots poussent comme des pissenlits, fleurs qui ont leur charme tout de même, et réchauffent les bancs d'école à la vitesse de l'éclair! Avouez que c'est troublant! Nous espérons tous être des supermamans et des superpapas en réglant au millième de tour un cirque familial parfois lourd et souvent au-dessus de nos forces.

J'avoue humblement que je n'arrive pas à saisir le comportement de certains couples «les tiens, les miens, les nôtres». Tu en a deux, j'en ai trois, on en fait deux autres! Nous devons être extrêmement égoïstes avec une seule zigoune dans la famille Bergeron-Lamer! Remarquez qu'un seul enfant n'est pas la solution non plus!

À 22 ans, Martine me lancera une évidente et profonde réflexion: «C'est normal de focaliser uniquement sur moi, il n'y en a pas d'autres!»

Chère «Doubie», va! Tu es bien comme ton père!

Depuis sa naissance, Martine ressemble à Denys. On n'a qu'à regarder la photo de baptême pour s'en rendre compte. Elle lui ressemble physiquement avec ses yeux marron ocre, ses cheveux foncés et son sourire narquois.

Elle lui ressemble également côté caractère. Tout le portrait de son père! Distante, calme et réfléchie, pas trop affectueuse. Je vais toujours au-devant d'elle pour quêter une bise ou une accolade. Je sens que je les fatigue avec mes épanchements, mais j'ai tellement besoin d'être cajolée que je n'attends plus. Désormais je force le bras et par ici la caresse! Je suis la seule «tâteuse» de la famille Laplante-Bergeron-Lamer. Je les aurai bien à l'usure!

Nathalie et René Simard

Denys travaille pour Quebecor depuis un an. Pierre Péladeau lui confie alors la direction de Trans-Canada. Cette filiale de l'empire Péladeau se spécialise dans la production et la distribution de disques au Québec. Trans-Canada signe des artistes renommés dont Pagliaro, Fernand Gignac, Ginette Reno, René et Nathalie Simard. Denys travaille en collaboration avec plusieurs producteurs, dont Guy Cloutier. Une amitié sincère se tisse, grâce au respect mutuel que se portent les deux hommes. Leur relation au travail déborde leur vie privée. C'est ainsi que nous faisons la connaissance des filles de Guy, Véronique et Stéphanie, de sa femme, Jojo Bergeron, et bien sûr des «p'tits Simard», Nathalie et René. Malgré l'énorme succès qu'ils connaissent depuis leur enfance, le frère et la sœur sont deux artistes adorables et attachants, d'une désarmante simplicité. Les portes de la spectaculaire maison en rondins à Sainte-Adèle sont grandes ouvertes, car Jojo et Guy tiennent à s'entourer d'amis. C'est l'une des grandes qualités de Guy, sa générosité. René est souvent présent, avec sa future femme, Marie-Josée Taillefer. Nathalie est également du groupe. Les filles au sous-sol organisent des spectacles avec leur metteure en scène, Véro! Déjà à huit ans, Véronique anime, chante et danse dans les numéros de variétés que la troupe d'enfants exécute devant les adultes. Bien sûr, notre fille Martine fait partie de la distribution.

Guy Cloutier a toujours eu le pif côté promotion et publicité. Comme mon personnage de Marisol tire les cotes d'écoute au maximum, j'enregistre une chanson d'Enrico Macias en duo avec Nathalie Simard: *Ouvre-moi la porte.*

Mes études en musique me donnent une belle assurance pour ce duo avec la belle et douce Nathalie. Quel beau souvenir! C'est à cette époque que la petite chanteuse souffre d'un sérieux manque de culture, car elle ne fréquente l'école que sporadiquement, et ce, depuis ses débuts dans la chanson. Une amie de ma belle-sœur Lorraine, Rosemarie Carrière, devient tutrice de Nathalie pendant quelque temps. Malgré les efforts déployés pour intéresser la jeune fille, le tutorat devient de plus en plus difficile. La petite Nathalie accorde plus de temps à son travail qu'aux leçons de Rosemarie. Que voulez-vous, le métier prend le dessus et cela est parfaitement normal. Métier que Nathalie exerce toujours avec beaucoup de professionnalisme et de talent.

Un an après *Marisol*, je me pointe à TVA sur le plateau de l'émission *RSVP*, animée par René Simard. Les techniciens sont heureux de me revoir et en même temps perplexes!

«Salut Christine! Tu vas faire quoi exactement dans l'émission? demande le caméraman Carol Arcand.

– Danser!» je réponds, en lui plaquant une bise sonore sur la joue.

Mes cours de danse chez Louise Lapierre me sont très profitables, car j'exécute avec René un numéro de *tap-dance* tout en chantant des hits de Broadway. Quel curieux hasard, tout de même! Je rêvais de devenir concertiste, et je me retrouve dans une émission prestigieuse, où je danse et je chante, accompagnée d'un orchestre et d'une troupe de danseurs, aux côtés de nul autre que René Simard! Nathalie et René Simard seront régulièrement invités aux *Anges du matin*.

Lorsque j'ai envie de me rappeler de beaux souvenirs, j'ouvre un petit livre doré sur tranche aux pages remplies de souvenirs de travail. C'est Ève Gagné, la voix de Cannelle dans *Passe-Partout*, qui m'a donné ces pages blanches qui se noircissent au fil des ans. J'y fais inscrire une pensée par ceux et celles qui croisent ma route au travail. Je retrouve un mot de Nathalie et plus loin un autre de René: «À ma Bobinette à steppettes!»

C'est un pur délice que de travailler avec ces deux-là. Le talent n'est pas le seul critère dans ce métier. Il y a aussi la générosité, l'écoute, ainsi que le plaisir pur et simple de travailler en équipe. Nathalie et René Simard débordent de toutes ces qualités qui font d'eux des artistes merveilleux.

Une grande artiste du burlesque

Elle est assise dans sa loge du Théâtre des Variétés, devant elle, une brassée de roses rouges.

«Maudit théâtre! J'veux plus en faire! Y sont tous fatigants, pis achalants!»

Rose Ouellette, dite La Poune, peste comme à son habitude avant chaque entrée en scène. Tous les soirs depuis que je joue au Variétés, La Poune invective tout le monde. Elle doit bien avoir au-dessus de 80 ans maintenant. Sa frêle personne, sa mémoire qui vacille et ses tempêtes dans un verre de bière ne l'arrêtent pas lorsqu'elle met le pied sur la scène. Elle redevient La Poune, celle que le public veut voir. Elle peut cracher les pires horreurs en coulisse, mais aussitôt que le plus petit orteil foule les vieilles planches du Théâtre des Variétés, elle se redresse fièrement, son petit chapeau blanc vissé sur ses cheveux rouquins, et se plante au milieu de la scène pendant que la foule applaudit la grande artiste du burlesque.

Pendant quelques secondes, Rose absorbe le baume de la reconnaissance, en levant les yeux vers les cintres, puis, avec son petit sourire taquin, attaque sa réplique qui se termine dans le rire général. La routine, quoi!

Je suis très reconnaissante envers Normand Gélinas et Louise Matteau, les auteurs dans les années 70 de l'émission *Avec le temps*, à Radio-Canada. Ils m'ont permis de jouer dans la pièce *Le bonheur, c'est pas bon pour la santé*, de Louise, mise en scène par Normand, et de travailler aux côtés de Rose Ouellette. On dira ce qu'on voudra, mais je crois que c'est une chance inouïe que de travailler avec une grande artiste qui, à sa façon, a marqué le théâtre au Québec. C'est également une chance de respirer les souvenirs qui flottent dans les vieilles loges, de fouler ces planches qui craquent et de sentir l'odeur tenace du maïs soufflé offert à l'entracte.

Jean-Louis Millette l'a compris lorsqu'il a accepté d'y jouer aux côtés de Gilles Latulippe. Le rythme particulier de la comédie ne se communique qu'en travaillant avec ses piliers, Rose Ouellette, Gilles Latulippe et combien d'autres.

La Rose d'Or

«Les femmes t'aiment, ma belle Christine! C'est maintenant ton tour cette année. Profite pleinement de ce bouquet d'amour que le public t'offre. À tantôt!»

Jacqueline Vézina referme la porte derrière elle et je reste en carafe dans un des bureaux du Stade olympique. Voilà maintenant plus d'une heure que je suis enfermée dans ce local où s'empilent pêle-mêle des fauteuils, des pupitres, des chaises, mais pas un seul téléphone. Si au moins j'avais eu un merveilleux petit cellulaire dans mon sac! Mais nous sommes en 1983 et les téléphones portables n'ont pas encore été inventés.

La grande patronne, Jacqueline Vézina, est encore plus excitée que moi. Chaque printemps, depuis des lunes, elle organise de main de maître sa création, son bébé, le fameux Salon de la Femme. Chaque année, le salon honore une douzaine de femmes qui se démarquent dans leurs domaines respectifs, en médecine, en recherche, comme auteure ou syndicaliste. De leur côté, les visiteurs votent pour la Rose d'Or attribuée à une personnalité du petit écran.

L'année d'avant, j'étais aussi finaliste, mais c'est Ginette Reno qui a remporté la palme pour la deuxième fois. Cette année, avec l'énorme succès de *Marisol*, j'ai un peu plus de chance de recevoir la récompense. On me délivre enfin de ma prison.

«Ça y est, ma Christine! C'est le grand moment!» me dit Jacqueline Vézina en m'entraînant dans les coulisses du stade.

J'ai le cœur qui résonne dans mes oreilles. J'ai les mains moites et un trac de première chamboule mon estomac. J'entends au loin la rumeur d'un stade en ébullition et la voix de l'animateur bien connu Michel Jasmin.

«Mesdames, messieurs, accueillons notre Rose d'Or 1983, Christine Lamer!»

Ils sont des milliers à crier, applaudir et fêter la remise de la Rose d'Or avec moi. Je vis un bonheur tellement intense que j'éclate en sanglots lorsque Ginette Reno elle-même me remet ma Rose d'Or sur tige fixée dans un bloc de bois. Je retrouve sur la scène tous les comédiens de la série *Marisol*. C'est grâce à tout ce beau monde si j'ai en mains le précieux trophée. Et sont tous là également mes parents, grand-mère, tante Alice, ma sœur Sylvie, pour fêter ensemble l'événement.

Ces moments de gloire n'arrivent que très peu souvent dans une vie. Et le fait de recevoir cet honneur et cette reconnaissance de la part du public est encore plus touchant et plus vrai. Après 30 ans de métier, les seuls trophées que je possède sont la Rose d'Or et une véritable Bobinette. À mes yeux, ces récompenses sont aussi prestigieuses qu'un Métro-Star ou un prix Gémeaux. Les honneurs passagers sont un baume enivrant, et rien ne me fait plus plaisir que lorsque vous me dites vos petites perles: «Vous étiez mon idole de jeunesse!», en parlant de mon rôle de Bobinette, ou encore: «Que je vous ai donc détestée dans votre rôle de Jackie dans *L'or du temps*!» Ce sont autant de petits trophées que j'accumule au fond de mon cœur. Oui, les honneurs font plaisir, mais ne sont pas nécessairement garants de lendemains bardés de travail et de rôles en or, bien au contraire!

L'année suivante, je remets à mon tour la Rose d'Or à la merveilleuse comédienne Rita Lafontaine. Chaque fois que je croise l'interprète fétiche de Michel Tremblay, je ne manque jamais de dire à Rita tout le respect et l'admiration que j'ai pour elle. Je serais vraiment comblée si, un jour, j'avais la chance de jouer à ses côtés. Chaque fois que j'ai donné la réplique à de grands comédiens et comédiennes, l'expérience fut presque toujours une occasion d'apprendre le métier. Il ne suffit pas d'être talentueux encore faut-il être patient, à l'écoute de l'autre et, par-dessus tout, généreux. Ce sont toutes ces grandes qualités qui animent la belle Rita Lafontaine et qui font d'elle une de nos meilleures artistes au Québec.

Pour clore ce sujet, je trouve qu'il est regrettable que le Salon de la Femme n'existe plus. Et je ne dois pas être la seule à penser cela. Jacqueline Vézina est une femme unique, qui s'est battue corps et âme pour accorder aux femmes une pause dans l'année, afin de se retrouver, se congratuler, échanger leurs idées et, surtout, souligner le travail précieux de combien de roses en or!

La voix du bon Dieu, Céline Dion

La cabane à sucre sent bon le sirop d'érable mêlé aux effluves qui viennent de la cuisine. Denys, notre fille Martine et moi nous retrouvons attablés en compagnie de la famille Dion au grand complet. Y a du monde dans la cabane! Les petits-enfants Dion entourent leurs grands-parents, mais plus spécialement Céline. La quatorzième enfant, la benjamine du clan Dion s'amuse avec ses neveux et nièces avant de passer à table. Céline n'est connue du public québécois que depuis quelques mois.

Le parolier français Eddy Marnay, qui a écrit les premières chansons de la jeune chanteuse, est de la partie en compagnie de son amie, la relationniste Suzanne Mia Dumont.

En passant, j'aurai le grand bonheur de travailler avec le célèbre parolier français. Eddy Marnay écrira pour moi les paroles françaises d'une chanson de Rod Stewart. La chanson anglaise *I Am Sailing* deviendra *Demande-le aux enfants*. Cependant l'enregistrement ne se concrétisera jamais et la chanson restera bien au chaud dans une caisse remplie de vidéocassettes et autres souvenirs de travail.

Au début de l'année 2003, Eddy Marnay est mort à Paris à l'âge de 82 ans. La chanson française perd un grand poète qui a écrit pour des artistes du monde entier au-delà de 4 000 chansons, des succès comme *La fille d'Ipanema*, *Donnez-nous mille colombes*, *Pour vivre*, *Une femme amoureuse*, *Les moulins de mon cœur*, *La valse des lilas*, *Les amants de Paris*, *Tellement d'amour*. Si vous voulez connaître davantage la vie de celui qui surnommait Céline Dion la voix du bon Dieu, Eddy Marnay, de son vrai nom Edmond Bacri, essayez de mettre la main sur son autobiographie intitulée *Lève-toi mon fils, et pèle-moi une orange*.

Mais revenons à la cabane à sucre. Anne Renée et son mari, René Angélil, sont bien sûr présents, puisqu'ils s'occupent de la carrière naissante de leur protégée. Nous sommes le 30 mars 1982, et nous célébrons le 14e anniversaire de Céline Dion.

Moins d'un an plus tôt, Céline apparaissait à l'émission de Michel Jasmin pour interpréter *Ce n'était qu'un rêve*, chanson composée par Céline et Thérèse Dion. La jeune chanteuse se tenait maintenant sur un plateau de télé en glissant douce-ment le pied sur la scène de sa future vie. Céline sait depuis qu'elle est toute petite qu'elle deviendra une grande vedette internationale. Lorsqu'elle chante, à l'âge de cinq ans, au ma-riage de son frère Michel, elle éprouve un sentiment tellement puissant et nouveau, le désir profond et intense de chanter au monde entier tout ce que son cœur, son corps et son âme res-sentent. Même lorsque son père, Adhémar, réveille sa petite fille de 11 ans, endormie dans un coin du Vieux Baril, pour qu'elle entonne avant la fermeture du bar *Je ne suis qu'une chanson* à la demande d'un client, Céline ne se fait pas prier, bien au contraire. Elle s'accroche aussitôt qu'elle le peut, dès qu'elle en a l'occasion, et s'empare du premier micro qui traîne, pour laisser chanter son grand bonheur, ses envies et sa passion. Chanter est sa drogue, sa foi, son souffle de vie, dorénavant et pour le reste de ses jours.

Mon mari, Denys Bergeron, fait partie du «kit de démar-rage» de la fabuleuse machine que formera l'équipe Angélil-Dion. Denys occupe le poste de directeur général de la maison de disques Trans-Canada. Cette boîte appartient à l'empire Quebecor, et Denys relève directement du grand patron, l'il-lustre Pierre Péladeau.

Un jour, à la fin de l'été 1981, René Angélil dépose un démo sur le bureau de Denys.

«Écoute ça, Denys. C'est une jeune artiste de 13 ans. Elle s'appelle Céline Dion. Crois-moi, c'est une future Barbra Streisand!»

«René était survolté, se rappelle Denys. On aurait dit qu'il avait une boule de cristal et qu'il décrivait devant moi le che-minement de la future carrière de sa jeune protégée. J'écoutais la cassette qui, en passant, n'était pas un très bon enregistre-ment. Plus René expliquait les possibilités de cette enfant-là et moins j'écoutais le ruban. J'avoue que ce n'est pas la chanson que j'entendais qui m'a convaincu, mais plutôt la plaidoirie de ce génie du marketing qu'est René Angélil.»

«Tu comprends Denys, il me faut 50 000 $ pour sortir un album. Eddy Marnay a rencontré Céline et toute sa famille. Il est tombé fou d'elle. Il lui écrit plusieurs chansons et, grâce à Eddy, les portes du marché français s'ouvrent automatiquement! C'est un hit assuré!» poursuit René Angélil.

Tout ce flot de paroles était bien joli, mais encore fallait-il se rendre à l'évidence: René Angélil n'avait pas un rond en poche. Il a tenté sans succès d'obtenir un prêt personnel de 50 000 $, mais sa démarche s'est soldée par un refus catégorique et sans appel du directeur de crédit. L'orgueilleux et fier René Angélil ne quêtera pas de sous dans les poches de son compétiteur et ami Guy Cloutier. La seule issue possible, et surtout digne de la réputation du producteur de combien de grands succès pour, entre autres, Johnny Farago et Ginette Reno, sera la compagnie de distribution de disques Trans-Canada et son directeur général, Denys Bergeron.

Cependant, la politique de Trans-Canada n'accorde qu'un montant maximal de 25 000 $ pour l'enregistrement d'un microsillon. Denys propose alors à René la production de deux albums dont un de Noël pour la somme de 50 000 $. La carrière de Céline Dion s'élance, forte de deux albums, *La voix du bon Dieu* et *Céline Dion chante Noël*. Ces deux vinyles se vendront facilement sur le marché québécois.

Céline souffle ses 14 chandelles, tout juste avant de quitter la cabane à sucre. Ses yeux rêveurs brillent de mille projets, et son désir ce soir-là se réalisera plus vite que tous les autres souhaits formulés depuis l'enfance. Quelques semaines plus tard, elle s'envolera pour la première fois en direction de la France. Je n'accompagnerai Denys qu'à l'aéroport. Je suis retenue à Montréal pour les enregistrements de *Marisol*, et je ne peux pas faire partie de ce premier voyage historique. Les artisans première cuvée attendent fébrilement l'annonce de l'embarquement: la maman Thérèse Dion, Anne Renée et son mari René Angélil, Denys Bergeron et la petite Céline.

En prévision de ce voyage, Denys allonge quelques dollars pour l'achat de deux paires de jeans pour Céline et René. Le duo partira vêtu de jeans encore raides aux bords roulés, faute de temps pour les coudre!

Céline enregistrera en tout cinq albums chez Trans-Canada. Par la suite, Denys quittera l'entreprise pour occuper le poste de directeur général de la station de Jean-Pierre Coallier, CIME-FM, et plus tard il coanimera avec moi l'émission *Les anges du matin*, à Sherbrooke.

Je n'ai jamais revu Céline Dion en personne depuis que Denys a quitté Trans-Canada. Au cours de l'été 2001, Denys et moi avons croisé René Angélil par hasard, dans un restaurant de Rosemère.

Pour terminer ce chapitre, je dois souligner que Céline et René ont pensé à mon papa Henri quelques mois avant sa mort. Ils ont invité Henri Bergeron pour une rencontre privée avec la star avant son spectacle au Centre Molson. Céline avait formulé le désir de rencontrer les vedettes du petit écran et de la scène qu'elle admirait depuis l'enfance. Ils n'auraient pu donner plus beau cadeau. Papa Henri admirait cette artiste de chez nous qui mène une si brillante carrière internationale.

J'ai à mon tour un vœu à formuler. Ma chère Céline, je te vois encore assise devant ton gâteau d'anniversaire, à la cabane à sucre. Je revois ta candeur, ton sourire, tes yeux qui rêvent de dépassement de soi, de grandeur, de scènes immenses, de public survolté et d'amour, beaucoup d'amour. Et je me vois à mon tour assise tout à côté de toi. Je te parle de tes débuts et de maintenant. Je te dis combien je t'admire d'avoir réalisé tous tes désirs les plus fous. Et nous nous serrons dans les bras l'une et l'autre. Faut-il souffler très fort sur les bougies pour voir son rêve se réaliser?

Chapitre 13

Nom d'une Bobinette!

Nom d'une Bobinette, prise 4

Nous sommes en 1984. À Radio-Canada, la rumeur circule que l'émission *Bobino* sera retirée des ondes après 27 ans à l'antenne. Les journalistes s'emparent de la nouvelle et, en un éclair, l'affaire prend des proportions gigantesques. Guy et moi accordons à l'animateur de ligne ouverte Pierre Pascault une courte entrevue sur le sujet de l'heure. Guy aurait souhaité se rendre à sa trentième année avant d'enlever son chapeau. Pour ma part, je souligne que nous, les artistes, sommes toujours les derniers à être au courant des décisions prises en haut lieu. Un tollé de protestations envahit les ondes et les médias écrits; les téléspectateurs protestent massivement, tant et si bien que la direction de Radio-Canada se ravise et accorde à la production une année de sursis.

Mon Guy-Guy sait très bien qu'un jour viendra où le personnage qu'il a créé disparaîtra à jamais. Il prépare depuis quelques années sa retraite dans un coin du Québec, dans la très belle région du Bic, plus particulièrement à Saint-Fabien-sur-Mer, dans le Bas-du-Fleuve. Son frère, un architecte, a dressé les plans de la maison à flanc de montagne, cachée par de magnifiques arbres, avec une vue saisissante sur la mer. La réalisatrice Thérèse Dubhé et moi allons rendre visite à Guy en compagnie de nos enfants durant l'été 1984. En passant par Saint-Jean-Port-Joli, Thérèse et moi achetons une sculpture d'un artiste, un ami de Thérèse, et l'offrons à Guy dès notre arrivée à Saint-Fabien.

L'intérieur de la maison n'est pas encore terminé. Des tableaux peints par Guy sont accrochés un peu partout et forment une mosaïque disparate et colorée. Des lunettes d'approche traînent sur le bord de la fenêtre panoramique, prêtes à l'observation des voiliers qui naviguent sur le Saint-Laurent, pour les célébrations de Québec 84. Mon Guy-Guy a cuisiné une sauce tomate et nous offre un excellent repas de pâtes. Nous passons une soirée agréable et intime. Guy nous lance quelques blagues comme il sait si bien les raconter.

Je nous revois lors d'une tournée mémorable à Sudbury et à Sept-Îles. Nous avions monté un court spectacle avec Bobino et Bobinette. Nous sommes tous assis à bord de l'avion qui file vers Sept-Îles, Thérèse Dubhé qui a signé la mise en scène, le bruiteur Pierre Carrière et le fils de Guy, Dominique Sanche, qui est en charge de l'équipement technique.

Dadou, c'est ainsi que Guy surnomme affectueusement son fils, garde le silence depuis quelques minutes; Guy se retourne vers son lui:

«Dis-donc Dadou, tu es bien silencieux! Ma parole aurais-tu vu un fantôme ou quoi! Tu es blanc comme une aspirine!

– Guy, j'crois que j'ai laissé ta bagnole sur la rampe de service à Dorval et si ça s'trouve, le moteur tourne encore!»

Dès que nous arrivons à l'aéroport de Sept-Îles, Guy appelle Dorval pour connaître l'étendue des dégâts.

«La GRC a remorqué ma voiture qui effectivement tournait encore», explique Guy, le sourire aux lèvres, en raccrochant le combiné. Malgré la gaffe énorme que son fils avait faite, mon Guy-Guy compatissait, plutôt que de s'emporter contre son étourdi de fils. Faut dire que Dadou vivait un nirvana terrible en faisant partie de notre petite troupe.

Nous irons plus tard à Sudbury. À la réception de l'hôtel, l'employée de service nous accueille.

«*Name?*» demande-t-elle sèchement.

«*Where are you from?*» Elle enchaîne ses questions sans même lever les yeux sur la clientèle québécoise. Après la réalisatrice Thérèse Dubhé et le bruiteur Pierre Carrière, Guy s'avance au comptoir.

«*What's your name?*

– René Lévesque!*» lance Guy en blaguant.

En entendant la réponse, la réceptionniste lève rapidement les yeux et Guy lui décoche un sourire narquois.

«Surprise!»

Guy ne ressemble guère physiquement au chef du parti Québécois. Il partage par contre avec le célèbre petit homme le goût de la cigarette et ses vues politiques pour un pays souverain.

Après le spectacle, nous nous apprêtons à quitter l'hôtel pour l'aéroport, mais une brume épaisse nous cloue au sol pendant plusieurs heures. Notre petite troupe se ramasse dans une des chambres de l'hôtel où nous assistons à un délirant match de raconteurs d'histoires entre Guy Sanche, Pierre Carrière et un gars de Radio-Canada à Sudbury. On pisse littéralement dans notre petite culotte! Mon Guy-Guy, ayant une incroyable mémoire en plus d'un talent extraordinaire pour les choses grivoises et truculentes, relance ses compères qui ne laissent pas leur place eux non plus! Un autre souvenir indélébile.

Un an plus tard, soit en mai 1985, nous terminons les derniers enregistrements de l'émission qui a fait rêver plusieurs générations de tout-petits. Lorsque je repense à ce moment-là, mon cœur et ma gorge se serrent à en pleurer à chaudes larmes. Nous vivons tous, en silence, un cauchemar qui persiste, la fin de *Bobino*!

Je retrouve mon Guy-Guy comme on s'est retrouvés ces 12 dernières années avec ses beignets au miel qu'il achète à la cafétéria de Radio-Canada et qu'on offre, tantôt lui tantôt moi, à l'équipe.

Cette merveilleuse petite équipe, composée du marionnettiste Gaétan Gladu qui interprète Giovanni, le petit compagnon de Bobinette depuis deux ans, la réalisatrice Thérèse Dubhé, l'assistante Maryse Forget, le bruiteur, le directeur technique, le régisseur et le machiniste, se rencontre pour le chant du cygne.

Devinez qui nous accueille à la porte du studio? Un patron? Un directeur de la boîte? Un mot peut-être de félicitations sur une carte? Non. Celui qui se tient à la porte, l'œil aux aguets, est plutôt un garde de sécurité mandé expressément sur les lieux pour veiller à ce que le costume de Bobino et la Bobinette ne sortent pas des murs de la maison!

Inutile de vous dire que l'ambiance n'est pas très réjouissante. Guy-Guy se contente de sourire en voyant le soldat au garde-à-vous, mais je sens que son moral est au plus bas, et nous échangeons des banalités pour étouffer la rage qui nous ronge l'intérieur.

«Nom d'une Bobinette! Nom d'un petit bonhomme!» auraient dit les personnages. Nous préférons garder le silence.

Guy-Guy allume sa précieuse cigarette et c'est parti. On enfile les deux enregistrements comme d'habitude, comme si nous allions enchaîner le lendemain avec deux autres émissions.

Mais voilà, c'est bel et bien fini! C'est terminé, *Bobino*! Lui a levé son chapeau pour la dernière fois. Elle a dit «au revoir les amis» et les lumières se sont éteintes sur le décor, sur presque 30 ans de rendez-vous quotidiens, de magie, de bon français, de poésie, de musique, de folies, de rêves.

Et je pleure encore et encore, même après toutes ces années. Et je rage de colère envers les responsables qui n'ont pas eu la moindre délicatesse envers mon Guy-Guy. Ils ont délégué un chien de garde pour surveiller le célèbre costume à la marguerite.

Quelques années plus tard, j'apprends que le chapeau melon de Bobino sera mis aux enchères au profit de l'Académie canadienne du cinéma et de la télévision. Je suis hors de mes chaussettes! Celui qui donne le chapeau melon est Robert Roy, l'ancien directeur de la section jeunesse de Radio-Canada, à qui l'on avait offert, pour ses années de loyaux services à la société, le fameux chapeau de Bobino! Je suis soufflée, estomaquée, en colère, j'en veux au monde entier, bref j'appelle sur-le-champ Monique Chabot, la femme de Guy Sanche.

«Monique, on vend le chapeau de Bobino!

– Incroyable! Je n'arrive pas à y croire! Après ce qu'ils ont fait à Guy? C'est honteux!

– Il faudrait miser sur le lot. Combien peux-tu allonger?»

Comble de malheur, le soir du fatidique encan, je suis sur la scène du Chantecler, et Monique a un empêchement! J'appelle celui qui sera sur place, notre président de l'Union des artistes, Pierre Curzi. Je lui demande la faveur de miser en notre nom, même si nos porte-monnaie ne contiennent qu'un mince 500 $.

«Je tiens à te prévenir que ce lot-là risque de partir pour beaucoup plus, répond Pierre Curzi.

– Je suis désolée, Pierre, mais nous ne pouvons offrir plus.»

J'apprendrai que le melon noir a fini entre les mains d'un producteur pour la somme de 1 500 $.

Après la crucifixion, ils ont confisqué ses vêtements et ils ont tiré au sort son chapeau. Voilà ce que firent les soldats au roi des tout-petits…

Comme tu l'as écrit dans mon précieux petit livre:

«Ma Titine, éternité. Ton Guy-Guy.»

Je t'aime, mon grand frère! On se reverra bientôt…

Ma belle Marguerite, adieu!

Je glisse une cassette audio dans l'appareil. Depuis le jour où j'ai enregistré ma marraine, je n'ai pas réécouté la bande sur laquelle grand-mère me parle d'elle, de son enfance, de son mariage, de ses quatre accouchements et de ses nombreux déménagements. J'appréhende l'écoute. Pourtant il y a maintenant deux ans que Marguerite est partie se balader avec celui qu'elle a prié quotidiennement. Elle a même choisi sa sortie, la coquine! Pendant qu'elle étirait les minutes de sa vie à l'hôpital Sacré-Cœur, ma sœur Francine accouchait de sa troisième et dernière fille quelques étages plus haut.

Elle attendait sûrement le feu vert pour filer droit au ciel pendant que sa petite-fille Milie atterrissait, elle, au début de sa vie. Milie sera en passant notre seule filleule. Je ne lui ai jamais avoué, mais quand je vois Milie, je retrouve un pétale de Marguerite enfoui quelque part au fond de ma filleule. Dans un coin de son cœur se cache la détermination de son arrière-grand-maman.

J'appuie enfin sur le bouton d'écoute.

«Est-ce que tu es confortable grand-mère…

– Hem… Non ça va bien… Lise…

– J'aimerais que tu me parles de toi, grand-mère…

– Ah… y a pas grand-chose à dire… Qu'est-ce que tu veux savoir donc?»

Je suis abasourdie! Je ne reconnais pas du tout la voix de ma marraine!

Celle que j'entends est nasillarde et traînante. Mon Dieu, j'y suis! Marguerite souffrait d'un cancer des intestins et l'horrible mal aura atteint jusqu'à ses cordes vocales. Je suis tellement bouleversée que je ne peux poursuivre l'écoute. J'ai fait cet enregistrement un peu avant la période des fêtes de 1985 et, quelques semaines plus tard, soit le 2 février 1986, Marguerite tournait la dernière page de sa vie. Elle est partie comme elle a vécu, tout doucement sans faire trop de bruit autour d'elle. Ce qu'elle pouvait être discrète... Elle aura vécu plus de 30 ans avec son beau-fils, son Marcel qu'elle aimait comme son propre garçon. Elle n'intervenait que très rarement dans les discussions entre papa et maman. Parfois, elle prenait même pour papa au détriment de sa fille unique!

Je me revois en cette journée du 2 février 1986. Je file seule aux aurores vers Québec pour un enregistrement publicitaire. Il neige abondamment et, malgré le vent qui bourrasque la route, je me sens guidée par un ange éclaireur, tout au long du parcours. Lorsque je mets le pied à la maison le soir même, Denys et Martine m'annoncent la triste nouvelle. Ma belle Marguerite a fait un dernier tour de piste en m'accompagnant sur la route de Québec avant de déployer ses ailes vers les cieux. Ma deuxième maman, ma marraine adorée, ma petite fleur de Marguerite abandonnait les siens qu'elle aimait pour vivre désormais au paradis.

Après la mort de son Euchère, grand-mère est demeurée près de nous tous. Elle est devenue en quelque sorte notre seconde maman. Nous aurons partagé bien des choses, elle et moi, à commencer par notre chambre au sous-sol. Grand-mère ne se plaignait jamais. Elle supportait de violentes crampes dans les jambes, sans dire un seul mot. Parfois, la nuit, elle se levait doucement sans faire de bruit, elle déposait ses pieds sur le plancher tout en implorant le Très-Haut d'avoir pitié d'elle et de soulager ses pauvres jambes prises dans un étau. À ma profession de foi, grand-mère a eu une horrible crise de pierres aux reins. Elle n'a pas dit un seul mot avant de partir pour l'église. Elle voulait être sûre que je sois rendue à mon banc avant d'alerter papa.

Elle ne s'endormait jamais avant d'avoir récité ses prières qu'elle marmonnait inlassablement en égrenant son chapelet. Son vocabulaire faisait souvent référence au bon Dieu: «C'est-y Dieu possible!» ou bien «Ç'a pas de saint bon sens!» ou encore «Que l'bon Dieu nous préserve!»

Maman enchaînait à son tour son énumération biblique: «Jésus, Marie, Joseph!»

Papa ne blasphémait jamais ni dans la maison ni ailleurs.

Lorsque papa explose de colère, c'est-à-dire une fois par année, les seuls jurons qui s'échappent de sa bouche sont: «Bâtard!» ou «Putain d'bordel!»

En entendant ce genre de tonnerre, les crucifix et le Sacré-Cœur vibrent sous le choc, mais au moins les enfants, eux, se calment.

Oui, ma grand-mère aura été une femme admirable. Elle demeure discrète vis-à-vis de la relation entre mes parents, et ne se mêle jamais de nos petites vies d'enfant. Elle se contente de faire son époussetage, sa p'tite brassée de blanc ou de couleurs (je tiens d'elle, en passant, pour les p'tits lavages).

Elle est toujours vêtue élégamment et poussera un jour la coquetterie en parant sa tête d'une perruque grise et bouclée, car elle souffre malheureusement d'une perte de cheveux importante, elle qui, jeune fille, avait une chevelure abondante.

Je retiens d'elle qu'elle a su bien vieillir. Elle vivait un jour à la fois, sereinement, tranquillement. Elle ne s'emportait jamais, au contraire, je crois plutôt qu'elle évacuait ses frustrations par la prière et le recueillement.

Elle était très fière de ses 4 enfants et 13 petits-enfants, et elle aura au moins connu ses 3 premières arrière-petites-filles.

Oui, je m'ennuie de toi grand-mère. Nous avons partagé de beaux moments ensemble, des moments de silence, des clins d'œil, des rires et des pleurs. Tu m'as soignée, bercée et cajolée. Tu as séché mes larmes et tu m'as épaulée dans les périodes plus sombres, sans un mot, si ce n'est: «Je t'aime ma petite-fille.»

Théâtre du Lac Lucerne, théâtre des Cascades

Il est assis dans la salle au Théâtre des Variétés. J'y joue le rôle de Candy dans la pièce *Le bonheur c'est pas bon pour la santé*, de Louise Matteau et Normand Gélinas. Candy n'est pas le rôle de ma vie, mais j'ai énormément de plaisir à jouer en compagnie d'Yvan Benoît, Louise et Normand, Muriel Berger, Francine Morand et Rose Ouellette, dite La Poune. Après la représentation, il frappe à la porte de ma loge.

«Entrez!

– Bonsoir Christine, Louis Lalande.»

Mon Dieu! Louis Lalande! Le comédien qui a déjà remplacé Guy Sanche dans *Bobino* pendant que celui-ci était hospitalisé à Albert-Prévost, à cause d'une de ses fichues crises d'identité. Guy se tapait une fois tous les cinq ou six ans un séjour en clinique pour nettoyer son système mental. Il devenait carrément une autre personne, Guy s'évaporait passagèrement et après quelques traitements, et surtout après la prescription du médicament miracle, le lithium, il redevenait mon Guy-Guy.

L'auteur Michel Cailloux avait imaginé un nouveau personnage pendant l'absence de Guy. Louis Lalande avait interprété Tricotin aux côtés de Paule Bayard avec beaucoup de talent. Et voilà que Louis se tenait devant moi.

«Bonsoir Louis. Je suis très heureuse de vous rencontrer.»

Ce premier contact fut le départ d'une grande collaboration et aussi d'une profonde amitié qui dure maintenant depuis 18 ans. Louis Lalande est producteur de théâtre d'été depuis l'époque du théâtre Sun Valley, dans les Laurentides. À l'été 1986, Louis m'offre de jouer au Manoir du Lac Lucerne une très belle pièce de Kevin Wade, adaptée par Guy Fournier, *Je t'aime clé en main*, une comédie à trois personnages où curieusement je joue le rôle de Lise (mon nom de baptême!), aux côtés de François Trottier et de Louis Lalande, qui signe également la mise en scène.

Nous aurons un plaisir fou tous les trois! Et il faudra d'ailleurs être très en forme puisque la pièce se déroule dans un décor de parc et que nous y joggons tout au long de l'été.

Guy Fournier, Louise Deschâtelets (qui avait déjà joué la pièce avec Jean Leclerc et Michel Rivard), Yvette Brind'Amour et Luis de Cespedes viennent assister à une représentation. Cela donne toujours le trac de savoir que des comédiens, ou bien des critiques, nous épient dans la salle et, bien souvent, il arrive malheureusement des pépins sur scène, un trou de mémoire ou une entrée de scène ratée, une interprétation vacillante ou un public difficile.

À ce propos, je me rappelle un soir de représentation sur la scène du théâtre Le Chantecler de Sainte-Adèle. Jean Beaunoyer de *La Presse* est dans la salle et nous avons droit ce soir-là à un affreux public difficile, et surtout tapageur!

Contrairement à ce que Sacha Guitry a déjà dit: «Ce soir le public avait du génie», l'auditoire ce soir-là était plutôt gaga...

Je joue avec Fernand Gignac, Louis Lalande, Arlette Sanders et la jeune Marianne Moisan. Nous essayons tous de garder notre concentration, mais lorsque certains spectateurs parlent plus fort que les comédiens sur scène y a de quoi sortir de son personnage et leur demander de faire silence! Y a des limites, tout de même! Pourquoi fallait-il qu'un critique soit assis dans la salle ce soir-là? Heureusement, Jean Beaunoyer n'a pas éraflé la production et a même souligné, dans son papier, le cran des comédiens d'avoir joué la pièce dans un tel boucan!

Mon beau Louis Lalande m'engagera souvent dans ses futures productions et je jouerai sa femme à plusieurs reprises. S'il y en a un qui sait comment tricoter une production, c'est bien mon Louis. C'est un producteur efficace et organisé qui est aux petits soins avec ses comédiens, et ses cachets sont très généreux. Il est également un homme charmant, plein d'humour et de talent. Malheureusement, Louis a décidé il y a quelques années d'abandonner la production théâtrale, à notre grande tristesse à tous. Chaque année depuis, je lui demande inlassablement s'il a envie de remonter une production.

Je considère Louis comme un grand frère. Avant chaque représentation, nous avions notre petite routine: on se retrouvait dans sa loge à bavarder, de tout et de rien, et ce placotage de coulisse me faisait énormément de bien. Surtout lorsque j'ai joué l'été de la mort de papa Henri.

L'été suivant, c'est au tour du comédien Pascal Rollin de m'offrir un rôle dans son magnifique Théâtre des Cascades, dans la région de Vaudreuil-Dorion. La production s'intitule

À rideaux tirés, du duo Sultan-Barret, et la distribution comprend, entre autres, Andrée Lachapelle, Raymond Cloutier, Pascal Rollin et moi-même. J'éprouve une joie immense de travailler aux côtés d'Andrée et Pascal. Celui-ci nous répète chaque soir dans la roulotte qui sert de loge commune: «Du blanc mes enfants, du blanc sous les yeux! Et du rouge les p'tites filles, du rouge sur les lèvres!»

Ce même Pascal me fera tellement rigoler sur scène lorsqu'il travaille, dos au public, et qu'il me décoche les pires grimaces!

J'enregistre les moindres gestes de la comédienne Andrée Lachapelle tant en coulisse que sur scène. Elle me fascine carrément! Cette façon naturelle qu'elle a de se mouvoir, de dire les répliques, de respirer... Je suis aux premières loges! J'apprends énormément en jouant avec elle. La critique est excellente, entre autres celle de Jean Beaunoyer de *La Presse*. On peut y lire ce passage: «La découverte en ce qui me concerne, fut celle de Christine Lamer qui me semble une fantaisiste naturelle... Elle mériterait sûrement un premier rôle à l'intérieur d'une comédie éventuellement.»

Mon cher Jean, j'attends toujours les offres pour un rôle à la télé, mais le téléphone ne sonne guère depuis quelques années! Je ne désespère pas, bien au contraire. Il suffit d'un coup de vent et la carrière s'envole à nouveau...

Parlant de vent, je vais vivre tout un ouragan l'automne suivant! Au milieu de l'été, un projet d'émission quotidienne sur les ondes de Radio-Canada se dessine avec, entre autres, mon mari, Denys Bergeron.

L'or du temps

Elle le regarde un long moment. Elle sait intérieurement que l'homme devant elle sera dans son lit en criant olé! Elle savoure chaque seconde qui passe comme si c'était la dernière de sa vie. Elle tend sa main gantée très lentement comme pour étirer le plaisir. Elle le regarde sensuellement tout en se rapprochant de lui comme un fauve traquant sa proie.

«Je t'attendais. Tu veux un verre? demande-t-il en tendant sa main vers elle.

– Chut!» lui répond-elle en s'appuyant sur le coin de son bureau.

Ils se désirent en silence. Il appuie sur un des nombreux boutons de son téléphone.

«Mademoiselle, veillez à qu'on ne me dérange sous aucune considération. Merci.»

Il la regarde à son tour et lui dit en souriant:

«Vous vouliez me voir, Jackie Lévy?»

Elle se contente de sourire en se penchant vers lui et l'embrasse doucement, puis sauvagement sans retenue. Intérieurement, son cœur éclate d'un rire sadique et voluptueux…

Ci-dessus, j'explique dans mes mots une scène que j'ai jouée au cours de la première saison de *L'or du temps*, en 1985, avec le comédien Jean Coutu. Il y aura par la suite plusieurs scènes délicieuses avec mon beau Jean. Quelques années plus tôt, Jean Coutu jouait mon oncle dans *Marisol*, et voilà qu'il tourne des scènes très intimes avec son ancienne nièce!

Un jour, nous demandons même un *closed set*, c'est-à-dire une équipe technique réduite au strict minimum et les portes du studio verrouillées. La scène se déroule entièrement au lit, entre Jackie Lévy et Philippe Debray. Jean est d'une infinie délicatesse envers moi et l'équipe réduite est attentive aux moindres demandes de notre part. Pour les besoins du tournage, les costumes se résument en un slip pour Jean, une petite culotte pour moi et un drap! Les embrassades se font sous le coton et la caméra est d'une discrétion puritaine!

Aujourd'hui, on ne se gêne pas pour étendre sa peau et présenter les ébats amoureux aux heures de grande écoute. On ne laisse plus les téléspectateurs en appétit, on leur sert le plat de résistance avec les miettes croustillantes et parfois très osées. Je crois que la télévision a fait un pas de trop à ce chapitre. Mais ce que je trouve encore plus abominable est que le public reste muet et passif devant le menu qu'on lui sert.

Pour ma part, j'en ai ras le pompon des SS (sacres et sexe) à la télé à 20 h. Au moins, nos voisins américains font sauter les «*fuck!*» lorsqu'un film est diffusé à la télévision. Mais ils ont autant de scènes explicites et de violence que chez nous. C'est pitoyable!

Mais retournons si vous le voulez bien à notre ange cornu, la belle Jackie.

Ah! cette Jackie Lévy en a fait voir de toutes les couleurs dans le téléroman *L'or du temps* à TVA. Je m'y suis baignée pendant plusieurs saisons avec plaisir et bonheur. Pour un comédien, accepter d'interpréter un rôle antipathique relève presque du suicide. Nous évoluons en terrain miné! Je pense au personnage de Séraphin par exemple, que le cinéaste Charles Binamé a ressuscité au grand écran en 2002. À la télé, l'interprétation de Jean-Pierre Masson était magistrale mais, parallèlement, le rôle devint un coupe-gorge pour le comédien. Jean-Pierre Masson n'a jamais eu la possibilité de se défaire du personnage qu'il a incarné pendant plusieurs années. Et c'est la peur de bon nombre de comédiens, qui ne risquent alors pas l'aventure. Pour ma part, le défi est de taille, car je dois jouer un personnage méchant, tout en nuances, sans charger, sans tomber dans les clichés, un personnage tout à fait aux antipodes de ce que je suis.

«Je n'y vois aucun problème, Christine. Tu vas nous jouer ça comme la pro que tu es. De plus, c'est le rôle idéal pour faire oublier Marisol!»

L'auteur Réal Giguère et le réalisateur Roger Legault sont assis devant moi dans une petite salle de conférences à TVA. Le téléroman *L'or du temps* en est au stade du choix de la distribution. J'apprends que Jean Coutu et sa fille Angèle feront partie de la production et, pour le rôle de la vilaine, la *bitch*, Réal Giguère et Roger Legault ont pensé à moi.

Après avoir lu le premier épisode, je saisis très bien l'odieux personnage qu'est Jackie Lévy et j'avoue ne pas hésiter longtemps avant d'accepter de camper le rôle proposé.

Cela fait maintenant deux ans que *Marisol* a quitté le petit écran. Bobinette a disparu des ondes de Radio-Canada. Et voilà qu'on m'offre un rôle nettement différent des autres! J'embarque dans l'aventure, et le trajet durera sept ans!

En studio, Jean Coutu et le reste de l'équipe attendent que ma session de maquillage-coiffure se termine pour enchaîner la prochaine scène.

Les mains du coiffeur Gaëtan Tardif et de la maquilleuse Micheline DeRoca dite «la duchesse» me transforment habilement en Jackie Lévy. Le travail peut durer facilement plus de deux heures. Mais grâce aux coups de brosse et de pinceau, au talent de ces deux artistes, je deviens la méchante, la snob, la racée, la lionne aux yeux de velours, la pétillante Jackie Lévy.

J'arrive enfin sur le plateau. Jean Coutu brasse encore son «petit change» dans sa poche et me dit: «Tu ne vas pas travailler sans maquillage! Va te changer!»

C'est sa façon à lui de me dire qu'il m'aime bien et que, malgré l'attente, il est heureux de travailler avec moi. Et moi donc! Avec Jean Coutu, c'est magique! Faire une scène avec lui est toujours facile, et sa générosité est telle qu'il me donne quelques conseils judicieux afin de parfaire mon rôle ou de rendre notre scène plus vraie, plus juste. Je joue avec Le Survenant encore une fois!

Aussitôt que je mets le pied sur un plateau de télé, j'y suis tout de suite à l'aise. Premièrement, je salue tout le monde. L'équipe technique est à mes yeux aussi importante que l'auteur ou les comédiens. Du machiniste à l'éclairagiste, du régisseur à l'assistante, chacun travaille à la réalisation d'un même produit. J'ai fait mes classes sur le plateau de *Bobino*. Guy Sanche avait un grand respect pour les membres d'une équipe de production. Mon Guy-Guy disait toujours merci aux *cues* du régisseur sur le plateau et au machiniste qui avait la délicatesse de nous apporter un verre d'eau. Je fais la même chose.

Je suis aussi une comédienne très à l'aise dans mes relations avec les autres comédiens. Peu importe avec qui je travaille, je garde une attitude décontractée et j'aime bien rigoler, même avant une scène de larmes. À ce propos, Georges Carrère me fera les pires pitreries quelques secondes avant d'enregistrer. Ce que j'ai pu me bidonner avec cet autre grand comédien! J'aime décidément une atmosphère relaxe au travail, cela facilite les rapports avec tout le monde. Autrement dit, je ne me prends pas pour la vedette, au contraire. Je me place sur le même plan que les autres, en privilégiant le travail d'équipe et un climat de franche camaraderie. Je retrouve avec plaisir Luis de Cespedes dans le rôle d'un méchant également. Je n'aurai pas de scènes de lit avec lui mais, par contre, je me frotterai à Donald Pilon! Dieu qu'il a les pieds froids lorsque nous faisons des scènes sous la couette! Avec tous ces comédiens, c'est la rigolade assurée!

Au cours de cette belle aventure, je m'accroche les pattes une seule fois avec une réalisatrice qui prend la barre de *L'or du temps* après Roger Legault. Le courant ne passe tout simplement pas entre Esther Lapointe et moi. C'est chimique ou hormonal! Je comprends certains réalisateurs et producteurs qui travaillent toujours avec les mêmes personnes. Le courant doit passer, quoi! C'est tellement merveilleux lorsqu'un seul regard suffit pour expliquer son point de vue.

Sur le plateau de *L'or du temps*, je travaille également avec des comédiennes extraordinaires comme Françoise Faucher, Huguette Oligny. Celle-ci répond à de jeunes comédiens en quête de crayons pendant une répétition: «M'enfin mes enfants, outillez-vous!»

Des comédiennes surprenantes foulent le plateau, comme Danielle Ouimet et Michèle Richard, et de jeunes acteurs qui sont aujourd'hui connus, Roger Léger, Robert-Pierre Côté, ou des acteurs malheureusement décédés, mon beau Jean Coutu, Georges Carrère, Richard Niquette et Robert J.A. Paquette. Je joue également avec des comédiens chevronnés comme Pascal Rollin ou Guy Godin.

Nous avons le plaisir de faire la fameuse scène, Guy Godin et moi, de la ligne de coke! La scène, qui figure dans le premier épisode, fait tout un boucan dans le public. Nous sommes tout de même en 1985.

Sept ans plus tard, je demande à l'auteur Réal Giguère de retirer le personnage de Jackie Lévy. J'anime *Les anges du matin* depuis maintenant quatre ans, j'enregistre *La cuisine des anges* régulièrement et je fais la route Sherbrooke-Montréal plusieurs fois par semaine pour les enregistrements de *L'or du temps*. Je suis épuisée.

Réal Giguère imagine alors une sortie à la hauteur du flamboyant personnage de Jackie Lévy. Un spectaculaire accident de la route fait disparaître à jamais la méchante Jackie. Tout comme les sorties précédentes, la fin de Jackie me rend malade. Je perds la voix juste après la dernière prise. Je prends donc un congé forcé aux *Anges du matin* et je me renferme sur moi-même durant deux jours. Je vis aussi le deuil d'un personnage qui a collé à ma peau pendant sept ans. J'ai la même réaction lorsque Bobinette et Marisol me quittent. C'est fou, mais je dois vivre la disparition d'un être fictif et accepter sa mort. La seule qui jusqu'à maintenant n'est pas totalement éteinte est ma Bobinette. Je reprends sa voix machinalement, comme on récite un «Je vous salue, Marie» sans hésitation. C'est magique!

Pour le rôle de Jackie Lévy, je suis en nomination pour un MétroStar et un prix Gémeaux, dans la catégorie Rôle de soutien dans un téléroman. Je ne remporte pas les statuettes, mais je considère très flatteuses ces marques de reconnaissance tant du public que de mes pairs. J'en suis très fière.

Voilà maintenant un fort long temps que je n'ai pas eu la chance de jouer à la télé. Est-ce la malédiction du méchant rôle qui plane sur ma carrière depuis maintenant 12 ans? Je n'ose y croire. Je préfère penser que c'est tout simplement le phénomène du creux de vague. Il y a toujours eu un trou noir pour les comédiennes entre 35 et 55 ans. On joue les jeunes premières et ensuite les mémés! Dans ce métier, le boulot arrive par rafales. On travaille comme des dingues ou pas du tout! Quand on est aimée et que notre cote est à son zénith, c'est carrément infernal. Mais lorsque le téléphone ne sonne plus, on se sent abandonnée, oubliée. On s'imagine que jamais plus on ne mettra les pieds sur un plateau. On est plus dans le coup, quoi! Je trouve cette période très difficile à vivre. Surtout lorsque j'entends la réflexion suivante: «On ne vous voit plus! Avez-vous pris votre retraite?»

Sur la scène du Théâtre des Variétés,
dans Le bonheur, c'est pas bon pour la santé, *de Louise Matteau,*
avec Normand Gélinas, Yvan Benoît, Francine Morand,
Rose Ouellette et Muriel Berger.

Photos de tournage de L'or du temps.

Dans L'or du temps, *je retrouve le précieux Jean Coutu.*

Une scène tendue avec Donald Pilon.

Après le couple béni du téléroman Marisol, *le couple maudit de* L'or du temps.

Chapitre 14

Au paradis
des anges

Un séjour en Estrie

Je feuillette un livre que nous faisions signer par les artistes invités aux *Anges du matin*. L'équipe devait parfois me trouver bien groupie à me voir chaque fois tendre mon cahier pour recueillir une signature ou un commentaire. Mais pour rafraîchir ma mémoire, ce précieux livre griffé me sert de boussole, car après tout il y a maintenant 10 ans que nous avons terminé l'incroyable aventure des *Anges du matin*.

J'y retrouve la signature de gens hélas disparus, comme Roger Lemelin, Johnny Farago, Richard Niquette, Sylvain Lelièvre et Georges Dor, qui a écrit:

«Au cœur du poème
il y a le cœur humain
seul dans toute sa poitrine.»

Et puis d'artistes qui sont revenus plusieurs fois: René et Nathalie Simard, Michel Barrette, Michèle Richard, Pierre Létourneau, Danielle Oderra, Patrick Norman, Pier Béland, Claude Barzotti et Jean-Pierre Ferland, qui a laissé ces mots:

«Elle est folle de moi et moi aussi.»

Au cours de ces sept années, au fil des 1 365 émissions presque toutes en direct, Denys et moi nous sommes amusés comme des gamins... mais seulement après les trois premiers mois... Quel cirque!

L'histoire commence au cours de l'été 1987. Je joue au Théâtre des Cascades. Denys est alors directeur général de CIME-FM. Un jour, Michel Chamberland, alors directeur général de CKSH-Sherbrooke, rencontre Denys de toute urgence. Il explique que Radio-Canada lui cède une heure d'antenne avec diffusion en direct de Sherbrooke de 9 h 15 à 10 h 15 du lundi au vendredi. Guy Cloutier a pensé au tandem Lamer-Bergeron pour animer l'émission. Guy s'occupera du contenu artistique, c'est-à-dire de fournir un artiste pour le talk-show quotidien.

Un après-midi de juillet, où la cigale stridule ses bouffées de chaleur, je nage doucement dans notre piscine hors terre à Dollard-des-Ormeaux, pendant que Denys y trempe l'orteil. Le petit baigneur m'explique sa conversation avec Michel Chamberland. L'aventure sherbrookoise est attirante, et sans trop peser le pour et le contre, nous décidons de nous jeter à l'eau tête première! Denys quitte le poste de chez Jean-Pierre Coallier. Pour ma part, après le théâtre, j'enchaîne *Les anges du matin* et *L'or du temps* à TVA, qui en est à sa troisième saison.

Nos décisions ont toujours été spontanées, comme l'achat de la piscine par exemple.

«Christine, il fait chaud! J'vais acheter une piscine pour la petite!»

Denys revient quelques heures plus tard avec en mains une facture légèrement plus élevée que le prix d'une pataugeoire!

«Denys, j'vais magasiner les voitures...» Deux jours plus tard, je klaxonne à bord d'une monstrueuse Monte-Carlo! La place Ville-Marie sur quatre roues!

«Tiens! Trois billets pour Disney! On part demain!»

«On nous propose l'animation d'une quotidienne à Radio-Canada!» *Go, go, go!*

Entre Denys et moi, les discussions sont brèves et les décisions prises d'un côté comme de l'autre sont coulées dans le béton armé. Plus question de reculer ou de faire faux-bond. À fond Léon, quoi!

Une telle décision exige cependant beaucoup d'organisation. En tout premier lieu, la maison à Montréal. Il faut vivre là-bas, à Sherbrooke. Nous louons la chaumière à Michèle Léger, une des propriétaires du Théâtre des Cascades avec Pascal Rollin et Louise Schmith. Si le bateau coule la première année, nous aurons gardé notre toit à Montréal.

Ensuite notre fille, Martine. Elle aura sept ans en septembre. Nous devons trouver l'école appropriée, avec un environnement scolaire qui facilite son intégration. Michel Chamberland est un véritable phare en la matière. Il suggère l'école Saint-Esprit, dans le quartier du même nom, à Sherbrooke. C'est un établissement public réputé pour ses professeurs compétents et son directeur, Roger Carrier. Martine entre en troisième année et y termine son primaire. Le passage du Collège Français au public est aisé pour elle, surtout pour l'apprentissage du français! Martine écrit depuis la maternelle en lettres cursives et au crayon à l'encre! En troisième année à Saint-Esprit, les élèves se butent encore aux lettres carrées tracées au crayon à mine, une vraie pitié! En revanche, le niveau de mathématiques est supérieur et l'approche pédagogique beaucoup plus près de l'élève que dans l'enseignement français.

À Sherbrooke, nous préférons louer un haut de duplex pour la première année; après tout, notre contrat n'est signé que pour une saison sans aucune clause pour l'année suivante. Nous faisons preuve d'une grande audace en risquant la coanimation d'une quotidienne diffusée en direct sur le réseau pan-canadien de la télé d'État, et ce, sans locomotive! En 1987, il n'y a pas d'émission matinale pour servir de moteur à l'émission suivante comme à TVA avec *Salut, bonjour!* Nous ouvrons carrément le réseau d'un bout à l'autre du pays, en direct de Sherbrooke. Quand Marie-Denise Pelletier s'amène sur notre plateau au cours des premières semaines, elle prend une attitude légèrement hautaine, croyant être dans une émission locale! Lorsqu'elle apprend que sa binette se balade de Moncton à Vancouver, elle retrouve son sourire et baisse le caquet d'un cran! Par contre, le grand Michel Drucker se balade en studio comme un larron en foire. On sent qu'il affectionne les coulisses et accorde une attention particulière au travail de chacun. Oui, un grand et simple bonhomme que ce Drucker! Paul Buissonneau, un habitué des *Anges*, entre dans notre paradis, avec toute sa verve poétique: «Salut, ma bande de folles! Quel con je suis de v'nir jusqu'ici, en pleine tempouse! Le sale temps! C'est dégueulasse!» tempête-t-il joyeusement.

Je vous raconte maintenant la première des *Anges*. En passant, c'est Denys qui baptise l'émission *Les anges du matin* en s'inspirant des lettres A et M, pour avant-midi. Je vous passe les détails des préparatifs d'avant-première. Tout ce que je peux vous dire est que notre équipe est extrêmement réduite, tant à la recherche que sur le plateau. Pour le moment, il n'y a ni loge, ni coiffeur, ni salon pour les invités, pas de café, rien pour le démarrage aux aurores d'une émission enregistrée loin de Montréal!

Nous avons le trac, enfin, j'ai le trac! Denys ne le montre pas. Le papa de Denys, Henri Bergeron, encore plus nerveux que nous tous réunis, n'en dort pas de la nuit! Il se rappelle sûrement ses premières en direct.

Comme n'importe quel événement, on s'active fébrilement avant, et en un éclair, l'heure est chose du passé.

Cette première canadienne est une grande réussite! Nous passons à travers l'émission en riant et en nous amusant avec les invités. Faut dire que nous avons de quoi gruger sur l'os! Yvon Deschamps, Simon Durivage, Madeleine Poulin et Mario Pelchat remplissent notre feuille de route.

Yvon Deschamps part le bal:

«Pour moi, ça marchera pas votre affaire! Ou bien vous vous séparez, ou bien vous lâchez la job drette-là!»

Et pour finir le plat, Simon Durivage intervient:

«C'est assez formidable de vous voir. On dirait que vous avez fait ça toute votre vie! Comment faites-vous?»

Et nous répondrons en riant: «Nous sommes mariés!» La réponse n'étant pas bien sûr un gage de réussite!

Mario Pelchat, pas encore très connu du public, chante et montre ensuite ses toiles, car il dessine fort bien, en passant. Sept ans plus tard, lors de la dernière émission des *Anges*, alors qu'il est devenu une superstar, Mario a la grande gentillesse de revenir sur notre plateau pour fermer à jamais notre petit paradis.

Je titrerais plutôt les trois premiers mois de travail par: *Les anges aux enfers*! Nous travaillons avec un démon de travail qui s'appelle Louise Forest. Elle signe la réalisation et voit à tout, tout, tout! Au premier visionnement, nous sommes pourris! pas bons! C'est désespérant! Et moi qui déteste me regarder à l'écran! Nous devons, après chaque émission, visionner, critiquer, proposer des solutions, bref la torture! N'empêche qu'après trois mois nous sommes quand même rodés. Notre tortionnaire est une collaboratrice exemplaire qui devient rapidement une très bonne amie.

Nous devons, Denys et moi, prendre notre place respective au sein de l'émission. Cela n'est pas évident au début, et nous transportons le bureau à la maison en soirée. J'étouffe! Un jour, nous décidons de laisser tomber le placotage de travail à la maison et d'abandonner les soucis sur le perron. Le bonheur, madame! On respire enfin! J'avoue que je commençais sérieusement à battre de l'aile. C'est qu'il fallait en plus que je me tape la route Sherbrooke-Montréal deux ou trois fois par semaine pour les enregistrements de *L'or du temps*. Un balai, l'aspirateur et trois torchons, ce sera tout pour vot' commande, madame?

Durant sept années, nous vivons une enfilade d'émotions, de rires, de larmes aussi. Nous rencontrons des gens extraordinaires, nous parlons aux téléspectateurs, car je vous le rappelle, nous travaillons presque toujours en direct. Les seules émissions enregistrées sont celles du temps des fêtes, pour reprendre notre souffle. L'énergie qu'exige une quotidienne est démesurée. Tenir le gouvernail en souriant n'est pas toujours aisé. Heureusement, nous pouvons compter l'un sur l'autre. Denys prend le contrôle, lorsque je suis grippée, par exemple. L'inverse est vrai aussi. Et plus vite que prévu!

Un jour, Denys ne se sent pas bien du tout. Il croit avoir une allergie, car il étouffe et a énormément de difficulté à se concentrer au travail. Un matin, il n'arrive presque plus à parler. Sa langue est quasi paralysée et son cœur pompe péniblement. Il arrive presque sur les genoux à l'urgence du CHUS! Il y restera quatre jours. Pendant ce temps, j'anime comme je le peux avec l'aide de l'artiste du jour. Bref, ça va très mal et nous ne voulons pas ébruiter quoi que ce soit en ondes. Le diagnostic tombe finalement: glande thyroïde atrophiée; médication: syntroïde à vie. Denys a une maladie qui affecte plutôt les femmes que les hommes! Un an plus tard seulement, Denys retrouve un état plus stable grâce au bon dosage, un peu comme avec l'insuline pour un diabétique. Les premiers mois, il doit s'appliquer à un autocontrôle pour ajuster la dose de médicament.

Nous aurons, tout au cours des ans, un public fidèle qui assiste aux émissions. Dès la première année, un couple de Sherbrooke, Marguerite et Éleucipe Morin, fait même partie de notre équipe. Nos deux petites perles s'occupent du public, du café et des prix de présence. Lorsque nous travaillons un jour en direct de Rivière-du-Loup, qui arrive dans le lobby de l'hôtel? Nos deux perles, bras dessus, bras dessous, qui s'ennuient déjà de nous! Nous les invitons souvent lors de nos soupers-concours avec des vedettes. Ils font vraiment partie de l'équipe des *Anges*. Un jour, le collier cède et Mme Morin perd son mari. Mais celle-ci continue presque chaque jour son travail aux *Anges* et même dans l'émission *Les Christine*.

Un matin, après notre retour à Montréal, la fille de Margot Morin m'appelle pour m'annoncer la mort de sa mère. Elle est allée rejoindre sa petite perle au paradis… des anges…

Après la troisième année, nous décidons de prendre les choses en main et de coproduire *Les anges du matin*, en collaboration avec Cogeco, propriétaire de la station CKSH, à Sherbrooke. Cogeco s'occupe du contenant et Lamer-Bergeron du contenu. Grosse, très grosse erreur en perspective! En ce sens que les dirigeants de Cogeco ne renouvellent pas le contrat de Guy Cloutier pour la portion artiste, et «oublie» d'en informer le principal intéressé! Si bien que Guy en veut beaucoup à Denys de perdre le contrat d'une émission pour laquelle il a pensé à nous en tant qu'animateurs.

Denys a pourtant averti Guy de la situation. Depuis ce temps, beaucoup d'eau a coulé sous les ponts: Guy et Denys se sont croisés à quelques reprises. Lorsque j'ai revu Guy sur le plateau de *La fureur*, en octobre 2002, nous sommes tombés dans les bras l'un de l'autre, en nous rappelant tous les bons moments partagés.

Maintenant, comment expliquer la fin des *Anges*… Nous en sommes à la septième saison de diffusion. Le nombre d'années est déjà très respectable, mais nous sentons qu'après un cycle de sept ans, il est préférable de retirer nos ailes, avant de nous les brûler un jour. Nous quittons *Les anges du matin* sur des cotes d'écoute impressionnantes, c'est-à-dire une moyenne de 280 000 auditeurs. Notre plus important auditoire est de 504 000!

La dernière émission est à la fois touchante et amusante. Nous avons doublement réussi: diffuser une émission en direct à partir d'une station affiliée, et ce, sur tout le réseau de Radio-Canada, pendant sept ans avec des cotes d'écoute inégalées à ce jour, et, qui plus est, animée par mari et femme, sans séparation ni divorce. J'en suis énormément fière. Et dire que nous n'avons jamais eu de trophée pour notre exploit! Si, tout de même, un: ce public fidèle qui nous a suivis chaque jour pendant sept ans.

Depuis ce temps, je travaille régulièrement avec Denys. C'est toujours un moment délicieux. Nous sommes faits pour vivre et travailler ensemble. Au boulot, il est un copain de travail. Chacun prend sa place et il n'y a pas de compétition entre nous. Notre degré de communication est branché sur «on», si bien que nous sommes à l'écoute l'un de l'autre. Et, finalement, on rigole beaucoup. Avec les années, on n'a plus à se prouver quoi que ce soit, on se connaît tellement bien. Un regard suffit pour éclaircir les coins sombres. On ne tasse pas la poussière sous le lit. On fait le ménage au fur et à mesure.

Ah, mon Dieu! J'oublie *La cuisine des anges*! Nous sommes également tombés dans le chaudron et la spatule. Cela commence par quatre minutes aux *Anges*. Suit une émission de 15 minutes tout de suite après celle des Anges, avec Julien Letellier, et ensuite en compagnie de Francine Marchand.
«Tiens, c'est curieux, on dirait que ça sent le roussi… Mon Dieu, ma casserole de patates est sur le feu!» Je vous reviens tout de suite…

Adieu Guy-Guy

*«Je sais que la mort est goulue
et qu'elle va au plus vite,
comme un voyou mettant la main sur un trésor…»*

CHRISTIAN BOBIN

En cette journée d'automne 1987, je roule en direction de Saint-Fabien-sur-Mer. Le temps est plutôt gris, le ciel roule de gros nuages de pluie. Josy Michon, la femme de Michel Chamberland, m'accompagne. Denys est resté à Rimouski et chasse le petit gibier avec Michel, à l'occasion de la fête des couleurs.

Je vais revoir mon Guy-Guy pour la première fois depuis qu'il a subi l'ablation d'une tumeur cancéreuse au cou, il y a maintenant plusieurs mois. Après quelques vains traitements de chimio, mon Guy-Guy se terre dans sa maison de Saint-Fabien-sur-Mer. Pendant que ma voiture avale les kilomètres, mes pensées font marche arrière.

Je me revois dans le sous-sol chez mes parents lorsque j'ai rencontré Guy Sanche pour la première fois. Je nous imagine dans tous ces petits bouis-bouis où nous mangeons après les enregistrements de *Bobino*. On se tape toujours une soupe tonkinoise parfumée ou un souvlaki dégoulinant de tzatziki. Pour ces «gueuletons», on trouve la réalisatrice Thérèse Dubhé, Guy Sanche et moi, parfois le bruiteur Pierre Carrière suit également.

«Allez ma Titine, on va chez Schwartz manger un bon *smoked-meat*!» dit mon Guy-Guy, toujours affamé après les deux enregistrements.

«Ma Titine! Il n'y a que lui qui m'appelle comme ça!» dis-je à Josy, tout en fixant la route.

Aussitôt que nous passons le parc du Bic, je bifurque en direction de la mer. Un étroit chemin nous conduit vers la maison qui surplombe le littoral. Voilà, nous y sommes!

Guy m'attend à l'entrée de sa maison. Celle-ci n'a presque pas changé depuis notre visite, deux ans plus tôt, avec les enfants de Thérèse et Martine. Nous tombons dans les bras l'un de l'autre. Je remarque le pansement qui encercle son cou. La plaie ne cicatrise toujours pas. Je présente mon amie Josy. Guy esquisse un large sourire. L'homme a toujours aimé les belles femmes!

Pendant que Guy salue mon amie, je remarque combien il a vieilli. Son regard n'est plus aussi allumé, ses gestes sont au ralenti, comme s'il savourait chaque minute qui lui reste à vivre. Mais son humour colle toujours à son sourire. Nous parlons de tout et de rien, et l'après-midi file rapidement. Avant de repartir, je l'embrasse doucement et il me prend dans ses bras pendant de longues secondes sans rien dire, laissant le silence parler pour nous.

Durant ce court moment intense entre ses bras, je ressens l'atrocité du mal qui le ronge. Je sais aussi que cette étreinte est la dernière. Et je la savoure pleinement. C'est à ce moment précis que je vis le deuil de mon Guy-Guy. Et il tremble légèrement tout en se détachant de moi.

«Je t'aime ma Titine!

– Je t'aime mon Guy-Guy!»

Le retour vers Rimouski se fait en silence. Josy respecte la douleur que je ressens. Juste avant de descendre de la voiture, elle me demande tout doucement: «Me permets-tu de t'appeler Titine?»

Après avoir été le témoin discret de ma dernière rencontre avec mon Guy-Guy, Josy comprend la signification de ce surnom affectueux. Je prends une profonde inspiration tout en admirant la mer d'un bleu intense et tranquille.

«Tu seras la seule au monde qui pourra m'appeler Titine…»

Nous sommes au mois de janvier 1988. Le téléphone me supplie de répondre. Il est 21 h et je suis déjà au lit. Je relis la feuille de route pour l'émission des *Anges du matin* du lendemain. Seigneur! Qui peut appeler? Est-ce une urgence? Merde! Je décroche.

«Allô Christine? C'est Monique.

– Oui Monique. C'est Guy?

– Oui. Il n'en a pas pour très longtemps, tu sais…»

La femme de Guy Sanche, la comédienne Monique Chabot, s'occupera de son Guy pendant les dernières semaines de sa vie.

«Oui je sais, Monique. J'ai vu Guy-Guy il y a quelques semaines déjà. Je suis tellement heureuse de l'avoir revu. Je suis prise ici à Sherbrooke pour *Les anges du matin*. Où es-tu?

– À Montréal. Mais je redescends à Saint-Fabien. Guy s'en retourne! Ça va pas très fort, ma fille!

– Mon Dieu! Et toi comment vas-tu?

– Je tiens bon. J'te jure que ce n'est pas facile. Je suis la seule qui lui reste. Ses *chums* ont tous disparu, tu penses bien!»

Guy s'est toujours entouré d'étranges moineaux. Des motards faisaient souvent la fête à Saint-Fabien, et les gens du coin n'appréciaient pas les vrombissements des engins et redoutaient la mauvaise influence de cette faune à moto sur les jeunes esprits influençables. Maintenant, Saint-Fabien pouvait respirer à nouveau; les indésirables avaient déserté leur idole de jeunesse et la mort rôdait à son tour, en silence, dans les parages escarpés du Bas-du-Fleuve.

«Tiens bon, Monique! Je t'embrasse et embrasse mon Guy-Guy pour moi…»

Guy Sanche quitte doucement les siens le 27 janvier 1988.

On se retrouve dans l'église des Dominicains Saint-Albert Le Grand, chemin Côte-Sainte-Catherine, à Montréal. Les trois enfants de Guy sont présents, mais aussi des membres de la famille Sanche, de même que quelques comédiens et amis.

Agenouillée sur le prie-Dieu, j'entends la voix de Guy et son rire semble flotter au-dessus de l'autel. Je souris. Il doit bien se marrer là-haut! Lui qui disait toujours: «Je ne sais pas où je m'en vais dans la vie, mais j'ai du *fun* à y aller.» Eh bien, mon Guy-Guy, tu es rendu à destination! Tel que je te connais, tu dois faire rigoler toutes les âmes du paradis avec tes histoires croustillantes. Y a sûrement de quoi faire là-haut! T'en as pour des années. Que veux-tu, y a toujours des nouveaux qui arrivent dans la gare du bon Dieu.

Et si on faisait un arrêt au paradis? Cela me rappelle de bons moments grâce aux *Anges du matin*. Vous avez envie de rigoler? En tout cas, moi j'en ai besoin!

Douce France!

Aux *Anges du matin*, nous organisons plusieurs concours et promotions, entre autres, on offre une occasion en or de voyager avec les Anges, vers la France. À deux reprises, nous déployons nos ailes en compagnie de téléspectateurs sympathiques en direction du vieux continent. L'aventure est chaque fois agréable, parfois surprenante et angoissante aussi. Quelques-uns d'entre eux n'ont guère voyagé dans leur vie. Aussi font-ils confiance à leurs guides ailés. Nous sommes très conscients de la lourde responsabilité qui pèse sur nous. Nous tâchons d'être à la hauteur des attentes d'une quarantaine de voyageurs. Nous pouvons heureusement compter sur une guide expérimentée en voyages de groupes pour voir aux petits détails.

Aussitôt arrivés à l'aéroport de Mirabel, une passagère s'aperçoit qu'elle a perdu son passeport et son billet d'avion! Elle doit prendre le vol suivant et rejoindre le groupe à Lyon. Une autre ne se déplace qu'à l'aide d'une canne et, pour aller plus vite, Denys l'installe dans un fauteuil roulant. Il s'occupe en même temps de ses bagages. Le reste de notre fan-club semble organisé et prêt pour le grand voyage, Montréal-Lyon, ensuite la Ville lumière, Paris!

Ah, Lyon! Capitale gastronomique de la France! Ah, ces *bouchons lyonnais,* petits paradis de la fine cuisine! Le premier soir, nous dînons ensemble pour apprendre à nous connaître et revoir notre itinéraire de la semaine. Le lendemain, nous laissons les gens libres de faire aller leur fourchette là où leur bedon les conduira.

Nous profitons de l'occasion pour aiguiser notre appétit dans les fameuses traboules. Ce sont des passages piétonniers très étroits, tout près de la magnifique cathédrale de Lyon. Nous nous attablons, notre guide, Denys et moi, dans un charmant *bouchon* où quelques tables habillées de nappes à carreaux rouge et blanc invitent à la gourmandise. On y mange une spécialité, le tablier du sapeur, qui consiste en un estomac de veau escalopé croustillant à souhait avec une bouteille de rouge.

En arrivant à l'hôtel, nos joyeux voyageurs sont tous assis dans le lobby!

On s'informe de la destination de chacun et des mets qu'ils ont dégustés.

«On est allé chez McDonald's!» répondent-ils en chœur.

Sans commentaire…

Le lendemain, nous prenons la route bucolique des vignobles et nous visitons quelques vieilles caves tapissées de bouteilles poussiéreuses. Une dégustation termine la visite et nous avons le loisir d'acheter un souvenir vinicole de l'endroit.

Dans l'autocar, une dame semble morose et silencieuse. Denys lui demande la cause de sa tristesse. Sans doute s'ennuie-t-elle de ses enfants?

«Je pensais, dit-elle, que nous irions en France.

– Mais madame, nous y sommes, voyons!

– Oui mais, j'ai pas vu la tour Eiffel!

– Nous y allons, ne vous en faites pas! Nous arrivons à Paris cet après-midi.»

Pour le second voyage, nous passons une semaine à Paris en compagnie cette fois d'une soixantaine de personnes. En faisant le décompte des passagers dans les deux autocars à l'aéroport Charles-de-Gaulle, nous constatons qu'il nous manque déjà deux dames. Nous retournons sur nos pas en direction des carrousels à bagages pour tenter de les retrouver, mais en vain. Le chauffeur s'impatiente et nous partons sans elles.

À notre arrivée à l'hôtel Terminus-Nord, les deux écartées sont assises bien sagement dans le lobby. Elles ont pris un taxi à l'aéroport!

Le lendemain, un groupe se rend au Père Lachaise. Un monsieur préfère s'asseoir sur un banc de ciment, pensant que le groupe reviendra par le même chemin! Mais les visites au célèbre cimetière suivent des parcours tortueux. On y pénètre par une entrée pour en ressortir par une autre. Notre pauvre homme se retrouve donc seul, sans papiers ni passeport et sans un franc. Sa femme a tout le barda dans son sac à main!

On informe la gendarmerie de notre arrondissement en leur disant que nous avons perdu un Québécois au Père Lachaise, sans papiers, et ignorant même le nom de son hôtel. Heureusement, les policiers parisiens ramènent notre écarté juste à temps pour le dîner d'accueil. Ouf!

Un jeune couple a maille à partir avec la justice française. Ils ne gardent pas leur ticket de métro sur eux comme preuve de paiement et, lors d'une vérification, deux policiers arrêtent nos touristes affolés. Cependant, à notre grand soulagement, tout s'arrange au commissariat et ils n'auront pas à payer d'amende.

Un juge à la retraite est du voyage avec sa femme. Nous visitons le Louvre ensemble, car depuis notre départ à Mirabel, monsieur veut absolument voir l'œuvre magistrale de Leonardo da Vinci, la *Mona Lisa*.

Après avoir admiré le chef-d'œuvre italien, nous visitons les sarcophages égyptiens. Notre bon juge, un peu fatigué, trouve par miracle une chaise de bois dans un coin. Il s'y assoit, tandis que nous admirons les sculptures et les ruines du royaume de Néfertiti. En revenant vers monsieur le juge, nous trouvons celui-ci replié sur lui-même, endormi semble-t-il.

«Voyons Raoul, dit sa femme, réveille-toi!»

Monsieur le juge ne bouge pas d'un cil. Mon Dieu! On n'aura pas un décès par-dessus le marché!

Devant l'énervement de sa femme, Raoul entrouvre les yeux et dit:

«Je me suis momifié!»

Seigneur! Merci mon Dieu! Il est vivant!

Et monsieur le juge enchaîne, avec son sens de l'humour particulier:

«Maintenant, j'aimerais bien voir *La Joconde*!»

Nous mettons également le pied à Versailles avec nos joyeux touristes. Les autocars stationnent leurs engins très loin de la porte d'entrée. Il faut donc battre le macadam pendant plusieurs minutes avant de rejoindre le palais de Louis XVI. Notre bon monsieur le juge Raoul s'appuie sur le bras de Denys, à la porte de l'autocar, alors que le reste de l'équipage est déjà arrivé à l'entrée des visiteurs. Je regarde désespérément au loin mon Denys en compagnie de Raoul le juge qui avance lentement l'orteil sur les pierres ancestrales. Denys me fait signe de continuer.

Lorsque nous aurons terminé le petit circuit avec la guide française, je retrouverai Denys et Raoul, assis dehors à une terrasse surplombant les jardins.

«Denys, où étais-tu? Vous n'avez pas suivi notre groupe?»

«Ben non! On vient à peine d'arriver. Monsieur le juge pompe difficilement l'air français et n'a pas le cœur à la visite. Je suis resté près de lui au cas où…»

Pauvre Denys! Dire qu'il n'a jamais visité Versailles après plusieurs tentatives lors de voyages précédents!

Lorsque le groupe repart pour Montréal, nous restons une semaine de plus, histoire de reprendre notre souffle…

Les anges du matin.

Éleucipe et Marguerite Morin,
les... anges gardiens des Anges du matin.

De la belle visite
aux Anges,
Luis De Cespedes
et Donald Pilon.

Voyage en France avec Les anges du matin.

*En France,
quoi de mieux
que le champagne
pour fêter
un voyage
en groupe?*

Un souvenir pour nous deux: Versailles... que Denys n'a jamais visité!

Une prise de vue devant la «Dame de fer»,
avec Marco Guérin, caméraman, et Sylvain Dubreuil, réalisateur.

Quelques scènes des Anges du matin *croquées sur le vif au fil des années:*

Salut!

En costumes d'halloween.

Avec le Père Gédéon.

Les anges
du matin
*rendent
visite aux*
Démons
du midi*!*
*Denys et moi avec
Suzanne Lapointe,
Paul Dupont-
Hébert
et Gilles Latulippe.*

Les anges
du matin
*retournent
à la Belle
Époque...
Quel panache!*

Une autre sortie des «girls»: chez Maxim avec Ginette Bigras et France L'Heureux.

Les deux Christine!

*Une partie de golf
en compagnie de Denys.*

*À la Classique du Maurier 95, une partie Pro-Am, en compagnie
de la proette Gail Graham et d'Angèle Arsenault.*

Le programme de À rideaux tirés, *comédie que j'ai jouée au Théâtre des Cascades à l'été 1987.*

ÉTÉ 87

À Rideaux Tirés

COMÉDIE DE
ARNE SULTAN & EARL BARRETT

MISE EN SCÈNE:
RAYMOND CLOUTIER

LE THÉÂTRE DES CASCADES (1987) INC.

*Sur scène,
avec Andrée Lachapelle
et Raymond Cloutier,
dans* À rideaux tirés.

Au Manoir du Lac Lucerne, j'ai joué, en 1986, dans Je t'aime clé en main, *avec François Trottier et Louis Lalande.*

Même jour, même heure, l'an prochain, *une pièce que j'ai adoré jouer avec Jacques Salvail.*

PLUS DRÔLE QUE JAMAIS

phou . Guy Beaupré

Ciel, ma Mère!

comédie de Clive Exton
adaptation : Michèle Larocque et Dominique Deschamps
concepteurs : Claude Fortin, Jean-Claude Poitras, Marc-André Charron
MISE EN SCÈNE ET PRODUCTION LOUIS LALANDE
DU 18 JUIN AU 30 AOÛT 19

avant le 24 mai
(514) 489-6519 Montréal

après le 24 mai
(514) 229-3591 Ste-Adèle

MERCRED
6 MATIN
FORFAI
FORFAIT

10 ANS

*Deux programmes
du Théâtre Le Chantecler:
celui de* Ciel, ma mère!*,
où je montais sur scène avec
Louis Lalande,
Françoise Faucher,
Martin Rouleau, Marc Legault
et Marie-Chantal Perron
en 1997,
et celui de* La surprise*,
que j'ai jouée avec Louis
Lalande, Marianne Moisan,
Fernand Gignac et Arlette
Sanders, en 2000.*

une comédie ébouriffante

phou : Guy Beaupré

La Surprise

comédie de Pierre Sauvil   décor : Claude Fortin
MISE EN SCÈNE ET PRODUCTION: LOUIS LALANDE
DU 21 JUIN AU 2 SEPTEMBRE 2000

avant le 20 mai
(450) 229-6288 Ste-Adèle

après le 20
(450) 229-3591 Ste-Adèle

• MERCREDI AU SAMEDI: 20h30
• 7 MATINÉES SAMEDI: 17h00
• FORFAIT SOUPER-THÉÂTRE
• FORFAIT COUCHER-THÉÂTRE
• FORFAIT DE GROUPE
• SALLE CLIMATISÉE

La belle équipe qui m'a accompagnée, à l'été 1998, au Théâtre Le Chantecler, dans Une nuit chez vous… Madame:
Cédric Noël, Patricia Tulasne, Louis Lalande, Perrette Souplex, Catherine Archambault et Denys Paris.

Chapitre 15

À la télé, à la scène
et dans la vie

Les Christine

L'orchestre de Georges Tremblay attaque les premières notes, pendant que la scène du Cabaret du Casino de Montréal s'illumine. Nous sommes le 28 novembre 2002 et ma chère Christine Chartrand remonte sur les planches pour un spectacle de Noël.

«Christine? C'est Cri-Cri. Je t'invite au Casino de Montréal pour la première de mon spectacle. J'aimerais tellement que tu sois présente!»

Son enthousiasme débordant me rappelle notre belle aventure des *Christine* à l'antenne de Radio-Canada, en 1994. Premièrement, il faut que je vous explique par quel hasard, il y a plus de 20 ans, j'ai fait la connaissance de Christine Chartrand.

Durant les années *Bobino*, je me suis liée d'amitié avec la réalisatrice Thérèse Dubhé, «madame Dudu», et avec Maryse Forget, script-assistante des deux dernières années de l'émission. En 1985, celle-ci perdra son père, le réalisateur de Radio-Canada Florent Forget, qui a porté au petit écran de nombreux téléthéâtres, notamment *Le grillon du foyer*, un conte de Noël signé Charles Dickens, *Un simple soldat* de Dubé, *Léocadia* et *Roméo et Jeannette* avec Ghyslaine Paradis et Jean Faubert.

Ces deux copines sont pour moi très précieuses. Même si nos rencontres sont espacées, nous pouvons compter l'une sur l'autre. Thérèse, c'est le rocher de Gibraltar! J'ai rarement vu une fille aussi positive. Comme disait mon grand-oncle Paul Labelle: «Faut pas s'en faire, faut en faire!», cela décrit fort bien mon amie Thérèse. Une conversation avec elle et le dépressif refait le monde sans pilule!

Maryse a le cœur gros comme le mont Royal avec la croix dessus! Elle est particulièrement généreuse avec ses nombreuses amies. Elle tricote ses amitiés de telle sorte qu'elle devient l'entremetteuse de service. C'est pour cette raison que je rencontre, grâce à elle, ses copines qui deviendront bientôt les miennes, comme Ghyslaine Paradis et Christine Chartrand.

Grâce à Maryse, j'ai revu 20 ans plus tard la comédienne Élizabeth LeSieur avec qui j'avais joué dans *Marisol*. Maryse a organisé (elle est capable!) un petit souper de *girls* avec Ghyslaine Paradis, Élizabeth LeSieur et moi.

Cette charmante rencontre nous a permis de renouer nos relations, particulièrement avec Élizabeth. Celle-ci fait de la post-synchro depuis de nombreuses années, et vous pouvez entendre sa jolie voix dans plusieurs films doublés en français. Mais pour ce qui est de voir cette excellente comédienne à l'écran, comme c'est le cas de Ghyslaine Paradis, là y a un énorme trou noir…

Elles sont dans la même situation que plusieurs merveilleux artistes qui malheureusement sont oubliés des productions québécoises. C'est désespérant!

J'en reviens donc à la chanteuse Christine Chartrand. Maryse Forget a organisé un dîner (encore!) au cours duquel Denys et moi avons fait la connaissance de Christine Chartrand et de son mari de l'époque, Georges Tremblay. Il y a de ces rencontres particulières dans une vie qui marquent les êtres de façon déterminante. Celle de Christine Chartrand en est une autre de plus sur mon chemin.

Nous sympathisons instantanément, avec cette impression de nous connaître depuis toujours. Le courant passe entre nous sans doute à cause de notre boulot, notre fibre artistique, nos valeurs communes, bref, Christine Chartrand devient au fil des ans une véritable sœur pour moi, tout comme Maryse Forget, Ghyslaine Paradis et plusieurs autres bonnes amies qui se jetteraient dans le feu immédiatement pour moi. En retour, je descendrais direct aux enfers pour aider l'une d'entre elles. Les liens d'amitié sont immensément précieux pour moi.

Or, après *Les anges du matin*, Radio-Canada cherche une nouvelle émission pour son créneau matinal. C'est là que ma Maryse entre en action. Elle suggère à Paul Dupont-Hébert, alors au service des variétés de Radio-Canada, de réunir à l'écran deux bonnes amies dans la vie, Christine Chartrand et Christine Lamer.

Cri-Cri Chartrand explose littéralement de joie et son excitation est telle qu'en l'espace d'une lettre envoyée à Paul Dupont-Hébert dans laquelle elle explique les avenues possibles d'une émission matinale avec sa *chum* Lamer, la direction donne son aval à la production, toujours à Sherbrooke, d'une émission d'une heure et demie qui s'appellera à juste titre *Les Christine*.

Après la première émission, ma Christine crie son grand bonheur en me disant: «On a un show ma Christine! On a un show!» en voulant dire que nous avions en main une émission qui tirerait les cotes d'écoute. Malgré l'heure et sa demie de trop, l'émission maintient sa moyenne d'écoute à 180 000 auditeurs.

Les raisons d'un succès télévisuel sont assez simples. Les principaux ingrédients en sont la vérité, la simplicité, l'originalité, ensuite il faut pouvoir compter sur une bonne équipe technique. Je place la vérité et la simplicité en tête de liste, parce que les téléspectateurs ressentent immédiatement, de leur côté du petit écran, la vérité des animateurs et la simplicité avec laquelle ils s'adressent à eux. Le courant doit passer par ces deux qualités primordiales: être soi-même, en communiquant directement avec l'œil de la caméra qui représente la personne à l'autre bout. S'adresser à la caméra comme à une seule personne assise devant nous. Ensuite vient l'originalité d'une émission appuyée par une équipe technique solide.

Ces ingrédients sont à la base du succès, comme avec *Bobino, Les anges du matin, Les Christine* et combien d'autres merveilleuses émissions qui ont gardé la tête hors de l'eau, en respectant chaque jour la recette: vérité, simplicité, originalité, équipe solide.

Lorsque nous sommes en plus outillés d'un bagage d'expérience tant à la télé qu'à la scène, le travail devient un pur plaisir. Travailler avec Denys Bergeron, Christine Chartrand, Michel Jasmin, Jean-Pierre Ferland, par exemple, est carrément une douceur et une caresse renouvelées.

Parlant de Jean-Pierre Ferland, Télé-Québec a rediffusé un *Station-Soleil* en fin d'année 2002, où je chante une chanson composée spécialement par Jean-Pierre pour Bobinette, intitulée *Mon amie Bobinette*. Je me souviens qu'à cette occasion la costumière de Bobinette, Andrée Thétreault, avait confectionné un joli costume bleu poudre parsemé de bonbons colorés, inspiré par la chanson dont voici les paroles:

Mon amie Bobinette
Je vois encore tes couettes
Je revois ta jaquette
Bleu poudre avec des gros bonbons

Es-tu toujours grassette
Es-tu toujours secrète
Mon amie Bobinette

Dors-tu toujours avec un ours
Quand on aime à 10 ans aussi profondément
On aime à 40 ans presque aussi tendrement

Ma chère amie d'enfance
Je gadoue dans l'absence
Tu es peut-être en France
Miss Bobinette de Pompadour

Si quelque part au monde
Vous voyez une blonde
Avec une jaquette
Bleu poudre avec des gros bonbons
C'est elle mon amie
Croquette de paradis
Une fille de par ici
Un nom qu'on n'oublie pas
Je viens te dire bonjour
Ma Bobinette d'amour

Entre vous et moi, il n'y a que Jean-Pierre Ferland pour écrire des paroles aussi fouillées que «*Miss Bobinette de Pompadour*»! Elles représentent tellement bien la Bobinette de notre enfance.

Je considère cette chanson comme un petit velours pour la célèbre marionnette, et en même temps, un coup de chapeau pour Bobino. Chanter avec le grand Jean-Pierre sera toujours un moment magique. Je croiserai le compositeur plusieurs fois à la télévision, notamment dans *L'autobus du show-business*, et sur scène au défunt théâtre Félix-Leclerc. Nous inviterons Jean-Pierre Ferland aux *Christine* pour souligner l'anniversaire de Christine Chartrand.

Parlant de chanson et de Jean-Pierre Ferland, Christine et moi chantons régulièrement dans notre émission, puisque nous avons, en studio, l'excellent musicien et pianiste Luc Caron. Pour la première de la saison, Christine Chartrand interprète justement une chanson de Jean-Pierre Ferland, *T'es folle* (elle a raison, je suis folle!), et à mon tour je chante pour ma Cri-Cri une chanson de Gilbert Bécaud, *Seul sur son étoile*, car à cette époque-là, ma Cri-Cri a le cœur libre. Mais je lui lance le pari en ondes que son petit cœur ne restera pas longtemps inoccupé et que, d'ici la fin de la saison, une belle femme comme elle trouvera l'âme sœur. Eh bien, mes chéries, elle a non seulement déniché l'oiseau rare, mais a convolé pour la troisième fois, aussitôt la saison des *Christine* terminée!

Ce troisième mariage se terminera de façon tragique quatre ans plus tard. Christine perdra son Pete Tessier d'un horrible cancer des os. Elle traversera cette épreuve avec beaucoup de courage. Comme on le remarque dans ces malheureuses circonstances, une naissance suit souvent un décès. Ma Cri-Cri devient grand-mère quelque temps plus tard, et son cœur meurtri retrouve une nouvelle chaleur, grâce à une jolie «poupoune» prénommée Alice, le premier bébé de sa fille Nancy.

Revenons maintenant au Casino de Montréal, la nouvelle mémé, Christine Chartrand, apparaît sur la scène. Elle est resplendissante de beauté! Sa belle et douce voix est toujours aussi réconfortante. Le public accueille la vedette chaleureusement et le spectacle de Noël est bien ficelé. Le moment est tout de même unique. Christine Chartrand remonte sur les planches en faisant ce qu'elle aime le plus au monde, accompagnée par son premier mari, Georges Tremblay, le grand-père de la petite Alice!

Chaque fois que l'une d'entre nous se retrouve sur scène, on s'encourage, on se conseille et on prie également pour retravailler ensemble un jour. Même si nous n'avons animé qu'une seule saison des *Christine*, je suis convaincue que nous nous recroiserons la patte sur scène ou à la télé.

Comme je l'ai déjà mentionné, l'émission *Les Christine* tire d'excellentes cotes d'écoute. La direction de Radio-Canada tient à ce que nous fassions une deuxième saison, mais mon cœur et ma tête ne sont plus à Sherbrooke. Après *Les anges du matin*, Denys travaille désormais à Montréal, et nous avons mis la maison de Rock Forest en vente. De plus, j'ai demandé à ce que, pour une deuxième saison, *Les Christine* soit amputée de sa demi-heure de trop. Une heure et demie en ondes demande un contenu intéressant avec une recherche étoffée. Au départ, nous travaillons seulement avec deux recherchistes débutantes, dont une qui n'est carrément pas à la hauteur.

Un jour, je reçois un message de la part de la comédienne Pauline Martin qui me demande de la rappeler.

«Bonjour Pauline, comment vas-tu?»

Elle me répond sans détour: «Tu as un problème avec ta recherchiste!»

Pauline devait être notre invitée et notre jeune recherchiste, ne sachant pas ce que Pauline Martin avait accompli sur le plan professionnel jusque-là, lui demande, sans s'excuser de son ignorance, de carrément lui faxer son CV. Pour une émission de ce genre, il aurait été impératif d'avoir dès le départ les services d'au moins deux recherchistes d'expérience.

Après huit années en terre sherbrookoise, il est temps de rentrer au bercail montréalais! Je ne me vois pas faire une autre année d'allers-retours. Je décide donc de ne pas enchaîner une deuxième saison des *Christine*, à la grande déception de ma copine Christine Chartrand. Mais celle-ci comprend très bien ma démarche, et respecte ma décision. L'épisode estrien tire à sa fin.

Nous refaisons nos boîtes en laissant peut-être, derrière nous, des souvenirs, des amis, mais en pensant également aux retrouvailles avec nos familles respectives. Nos racines sont assurément montréalaises et notre cœur tressaute à l'idée de refaire notre nid, tout près de nos chers parents.

Retour au bercail

C'est le bordel! La maison de Rock Forest ne se vend pas! Le secteur de l'immobilier traîne de la patte. La période est favorable aux acheteurs. Nous vivons la semaine à Montréal et les fins de semaine en Estrie. Nous faisons un stage de trois mois à Outremont, dans l'appartement de ma belle-sœur Lorraine, partie pour l'Université de Toulouse faire sa maîtrise en géographie. Martine termine sa dernière année de secondaire au Pensionnat des Ursulines, à Stanstead.

L'année est incertaine, tout comme le climat politique québécois. À l'automne 1995, c'est le fameux référendum qui empeste les salons; c'est oui ou c'est non, vendra-t'y, vendra-t'y pas? Nous vivons en équilibre sur la corde à linge comme de mauvais funambules. C'est oui ou bien non; nous vendons ou nous séchons nos liquettes tantôt à Montréal tantôt à Sherbrooke! Nous vivons en eaux troubles, tiraillés entre Montréal et Sherbrooke, entre le oui et le non, quoi!

Je décide d'organiser une soirée sushi référendaire en invitant, pour marquer l'événement, nos parents, divisés au départ par la fichue question lancée par le gouvernement de Lucien Bouchard. Nous suivons le thermomètre des résultats à la télé de Radio-Canada, lorsque finalement se pointe Jacques Parizeau au microphone de la défaite, qui lance sa mémorable tirade sur les votes ethniques. Papa Henri lance sa serviette de table à l'écran, pensant ainsi ébranler l'orateur, de toute évidence, éméché. Le «non» déferle sur le Québec comme une douche froide. Nous terminons la soirée en poursuivant une discussion qui ne va nulle part. Une discussion aussi embrouillée que la fatale question. C'est le cul-de-sac!

Et nous n'avons toujours pas vendu la maison! C'est pitoyable!

Il faudra attendre le retour des hirondelles pour trouver un acheteur, un homme d'origine pakistanaise qui allongera une somme maigrelette vu le marché à la baisse.

De retour à Montréal, nous écartons pour le moment l'achat d'une propriété et optons plutôt pour la location d'un appartement dans le coin d'Outremont. Nous restons quatre ans dans un confortable haut de duplex rue Plantagenet, près du chemin de la Côte-Sainte-Catherine et curieusement à proximité des Dominicains où nous avons dit au revoir à mon Guy-Guy, 10 ans plus tôt.

Aussitôt que Martine termine son cégep en théâtre au Collège Dawson, c'est-à-dire trois ans après notre retour à Montréal, elle vole de ses propres ailes. Elle prend un appartement avec une copine. Ce n'est pas tellement le fait qu'elle nous quitte qui me chagrine, après tout Denys et moi avons fait la même chose à son âge, mais bien parce qu'elle ne poursuit pas des études universitaires. Trois mois après son déménagement dans un logement où les vols se multiplient et l'entente avec sa coloc se détériore, Martine transporte ses pénates, seule cette fois, dans un studio du Plateau, en pleine tempête au mois de décembre. Denys et moi sommes un peu plus rassurés, car le petit immeuble est très sécuritaire et un gentil concierge y habite et voit à la tenue des lieux. Depuis l'époque de Sherbrooke, Martine adore faire du surf des neiges. Or, un après-midi d'hiver, alors qu'elle habite le Plateau depuis un mois environ, on sonne chez nous, rue Plantagenet. Deux ambulanciers tiennent Martine dans leurs bras. Elle est tombée en voulant sauter avec sa planche de surf, sur la montagne. Son genou est en compote! Voilà autre chose…

Heureusement, elle évite l'opération, mais elle doit suivre des traitements de physio deux fois par semaine. Je fais le taxi pendant plusieurs semaines de son appart à la physio, de la physio à son boulot. Martine ne se déplace qu'avec des béquilles, sa jambe étant prisonnière d'une orthèse rigide. Faut voir ses pirouettes dans les bancs de neige! Car, bien sûr, il neige abondamment pour faciliter les déplacements! J'ai toujours peur qu'elle retombe, cette fois face contre terre. Je la trouve très courageuse!

De retour sur les planches

Par contre, moi, je me trouve rouillée comme une bicyclette qui a passé l'hiver cadenassée à une clôture! Il y a maintenant 12 ans que je n'ai pas foulé une scène de théâtre. Louis Lalande m'offre de jouer dans son théâtre de Sainte-Adèle, la pièce *Ciel, ma mère!* une comédie de Clive Exton. Je retrouve Françoise Faucher et Marc Legault avec qui j'avais joué dans *L'or du temps*, à TVA.

Je n'arrive pas à entrer dans le personnage de Marie-Thérèse, la femme de Paul, joué par Louis Lalande. Je suis gauche et le geste ne me vient pas naturellement. Je suis encroûtée et je dois souvent répéter seule avec Louis. Il faut dire que je joue avec Françoise Faucher pour la première fois sur scène et que je suis impressionnée par son naturel, son talent et bien sûr sa grande expérience des planches.

Je ne me sens pas à l'aise, et surtout pas à la hauteur des autres comédiens pendant tout l'été. C'est fou, mais je me trouve vraiment nulle.

L'année suivante, j'enchaîne, toujours au Théâtre Le Chantecler avec mon petit Louis Lalande, une pièce de Jean de Létraz intitulée *Une nuit chez vous... Madame.* Cette fois, c'est une autre paire de manches! Je me sens très à l'aise dans cette comédie très française, entourée des comédiens Denys Paris, Patricia Tulasne, Perrette Souplex, Cédric Noël, la jeune Catherine Archambault et bien sûr Louis Lalande. Je joue encore sa femme, mais cette fois je me coule plus facilement dans le rôle d'Huguette. Nous passons un été mémorable, rempli de fous rires et de mots croisés dans les loges. Je suis une accro de la grille, tout comme Patricia Tulasne et Perrette Souplexe. Entre les deux représentations du samedi, notre Perrette, en fin cordon-bleu, nous touille de spectaculaires salades, et chacun apporte sa contribution en pain et en fromages, sans oublier le pinard, bien sûr! L'incroyable Denys Paris nous fait tous rigoler avec ses extraordinaires imitations. Aussitôt qu'un ange passe dans les loges, je demande à Denys de nous faire Janine Sutto ou bien Denise Filiatrault. Un jour, il nous jette littéralement par terre avec une imitation de Jeanne Moreau.

Patricia Tulasne vit des moments très pénibles lorsque son père meurt à Paris pendant l'été 1998. Patricia décide alors de se rendre dans la Ville lumière pour les funérailles, en prenant le vol d'Air France le dimanche pour revenir sans faute le mercredi suivant et remonter sur scène. Elle traverse cette épreuve avec beaucoup de courage. Dire que je vais vivre la même situation deux ans plus tard…

Chapitre 16

Des adieux
bouleversants

Adieu, papa Henri

Nous sommes au printemps de l'an 2000. Les catastrophes anticipées ne se sont pas produites. Le redoutable passage vers l'an 2000 a été franchi sans encombre, comme les autres années. Une ombre par contre assombrit le ciel de la famille Bergeron. Mon papa Henri se bat contre un cancer du côlon ascendant depuis plus d'un an.

Un jour d'automne, en 1998, je l'accompagne pour sa séance de chimio à l'Hôtel-Dieu. Papa Henri retrouve l'équipe médicale et les patients qui forment le groupe de 10 h, avec le sourire et surtout la conviction profonde qu'il va survivre à cet enfer qui le gruge depuis plusieurs mois.

«Bonjour monsieur Bergeron! Comment allez-vous aujourd'hui? demande l'infirmière qui tient en main une longue aiguille raccordée à un tube de plastique.

– Je suis en pleine forme! J'espère cependant que j'aurai de la "veine" aujourd'hui!»

L'infirmière doit absolument percer une veine sur le dessus de la main du patient, et parfois le manège se transforme en duel à force de se battre avec une artère fuyante. Comme si le corps fermait toute entrée possible à l'injection médicamentée.

«Ah! vous êtes un veinard aujourd'hui, monsieur Bergeron», dit l'infirmière qui plante assez facilement l'aiguille dans la veine légèrement gonflée.

La scène est hallucinante. J'assiste, muette et interdite, à une séance de torture insidieuse, aux gestes programmés du personnel soignant. Une huitaine de patients souriants, assis dans de confortables fauteuils de cuir, parlent de la pluie et du beau temps, branchés sur des machines distributrices de poison. Dans la pièce voisine, le personnel infirmier manipule délicatement les cocktails chimiques sous une énorme hotte aspirant les vapeurs toxiques. Je rêve, là! Comment peut-on accepter pareil traitement avec le sourire, en blaguant avec les infirmières et les médecins?

Je regarde mon papa Henri et je vois une véritable force de la nature, un homme prêt à n'importe quel traitement pour vaincre l'adversaire. Il a tout essayé, croyez-moi!

Un placard de sa cuisine déborde de médicaments, de vitamines, d'huiles essentielles, de miel DGS activé au quartz. Toute cette artillerie de pilules, de gélules et de miel suractivé a tout de même permis une trêve de quelques mois et un regain d'énergie. Papa Henri s'envole pour la France une dernière fois avec maman Yvonne. Il fait un pèlerinage à Lisieux, car il a une grande foi en Thérèse de l'Enfant-Jésus, dite sainte Thérèse de Lisieux. La maman de papa Henri, Rosalie Bourrier-Bergeron, une femme très pieuse, avait accouché le 17 mai 1925 de son petit Henri, le jour même où fut canonisée Thérèse de l'Enfant-Jésus. Elle aura une dévotion toute particulière pour sainte Thérèse et papa Henri fera de même jusqu'à la fin de sa vie. Ils profitent de leur séjour en terre française pour revoir la famille et particulièrement le cousin Jacques Burel, artiste peintre à Paris.

À leur retour, je vais les chercher à l'aéroport de Mirabel et mon papa Henri est littéralement transformé!

«Je suis guéri, dit-il. Je ne me suis jamais senti aussi bien!»
En entendant ces mots, je croise le regard de maman Yvonne dans le rétroviseur. Une lueur d'inquiétude perce dans ses magnifiques yeux bleus. Elle ne dit pas un mot.

«J'ai été à Lisieux. Sainte Thérèse m'a guéri!»

Papa Henri semble en effet avoir retrouvé un nouveau souffle. Tant et si bien qu'il organise la soirée du 31 décembre chez lui comme d'habitude, avec des cadeaux pour tous les invités. Nous mettons le pied dans le deuxième millénaire en chantant et en buvant du champagne. C'est magique, presque irréel! Papa Henri, débordant d'énergie, prend même la route de la Floride avec sa campignole (il nomme ainsi son camping-car), maman Yvonne à ses côtés, comme ils l'ont fait tant de fois par le passé.

Mais voilà que le démon refait inévitablement surface en insérant son dard encore plus profondément dans les entrailles de papa Henri. Le couple quitte rapidement la Floride et revient plus tôt que prévu à Montréal. C'est le début de la fin, une descente aux enfers qui s'étire jusqu'au 10 juillet 2000.

Je répète la pièce *La surprise*, de Pierre Sauvil, une autre production de Louis Lalande, au Théâtre Le Chantecler de Sainte-Adèle, avec Fernand Gignac, Arlette Sanders, Marianne Moisan et Louis Lalande, qui joue encore mon mari! Entre les répétitions, je fais des boîtes, car après quatre années en location, nous avons acheté sur plan une maison de ville à Outremont. Comme elle ne sera pas livrée avant juillet, nous entreposons notre ménage et nous créchons dans un condo à Saint-Sauveur.

La première au théâtre est un succès, mais il manque quelques personnes. Mes chers parents sont présents, ainsi que Denys et Martine, cependant mes beaux-parents sont absents. Maman Yvonne prend soin de son Henri, toujours à la maison. Le cancer fait son boulot, patient et imperturbable, en laissant des traces encore plus apparentes. Le corps amaigri de papa Henri fait autant pitié que ses pieds et ses jambes enflées et bleuies par une mécanique qui ne fonctionne plus très bien. La machine humaine s'effrite lentement sous la férule du cancer. Je ne peux m'approcher de papa Henri comme avant et le serrer dans mes bras. Son ventre refuse tout contact. Je me contente de laisser un baiser furtif sur son front, avant de repartir pour une répétition.

Depuis quelques semaines déjà, papa Henri a installé ses quartiers dans le boudoir, allongé sur le canapé-lit, entouré de mille souvenirs. Une énorme horloge laissant échapper ses secondes côtoie un chapelet et l'image de sainte Thérèse de Lisieux. Devant lui, l'écran de télévision, son outil de travail, son passé, alimente ses jours. Il assiste, toujours couché, aux funérailles de Maurice «Rocket» Richard. Il doit se remémorer les grands événements qui ont marqué sa carrière, celle du premier annonceur de la télévision française canadienne.

L'animateur de *L'heure du concert*, des *Beaux dimanches* était l'artiste que tous les réalisateurs exigeaient lors des galas, des défilés de la Saint-Jean, des visites officielles de personnalités comme la reine d'Angleterre, par exemple.

À ce propos, une anecdote me remonte à la mémoire. Papa Henri aimait bien la raconter.

Un été, mes beaux-parents se retrouvent sur un terrain de camping. Papa Henri n'est pas aussitôt arrivé qu'il fait le tour du propriétaire et rencontre les voisins campeurs. Il converse depuis quelques minutes avec l'un d'entre eux:

«Aïe! ma femme! Viens voir qui est là!»

La femme en question sort de son motorisé et regarde papa Henri. Elle ne dit pas un mot.

«Ben voyons, sa femme! Tu l'reconnais pas?

– Ben non…

– Ben voyons! C'est lui!»

Il arrive bien souvent que les gens reconnaissent les personnalités sans toutefois pouvoir dire leur nom et encore moins leur prénom.

«Ben oui, tu sais! Quand la reine vient, c'est lui!»

Oh là là! Papa Henri a bien failli s'étouffer dans sa moustache! Il tend gentiment la main à la dame en lui déclinant son identité.

«Bonjour madame. Henri Bergeron. Comment allez-vous?
– Ah ben, oui! Là j'vous r'connais, là! C'est l'soleil p't'être ben!»

Papa Henri adorait rencontrer les gens et bavarder avec eux. Il disait toujours:

«Parlez d'abord, exprimez-vous ensuite!» ou «L'important est d'être soi-même.»

Alité ainsi depuis des semaines, il n'est plus vraiment le même. Celui qui a écrit le premier tome de sa biographie sous un titre qui le décrit si bien, *Un bavard se tait pour écrire*, voilà que le bavard se tait peu à peu, pour mourir...

Papa Henri est maintenant hospitalisé à Saint-Luc. Après un séjour à l'urgence, on l'installe seul dans une chambre. Quelques étages plus haut, le mari de la comédienne Arlette Sanders, qui joue avec moi dans *La surprise*, le père de Sophie et Danielle Lorain, Jacques Lorain, y est également. Heureusement, Jacques Lorain sortira de l'établissement sur ses deux jambes.

Avant chaque représentation de *La surprise*, Arlette et moi atterrissons dans la loge de Louis Lalande. Ces conversations nous galvanisent toutes les deux. On parle bien sûr de papa Henri et de Jacques, mais on potine également de tout et de rien. On grignote un bout de biscuit avec un café et toute la tension s'évapore. On se maquille, on revêt nos costumes de scène et on attend fébrilement en coulisse, pendant que l'éclairage illumine le décor. J'oublie alors tous les tracas.

C'est comme une drogue qui s'empare de votre corps et qui engourdit, le temps d'une représentation, les idées noires, les rhumes ou les maux de tête, un mal de dos ou un vague à l'âme.

Denys a maigri énormément. Il s'est laissé pousser une barbe qui le fait paraître plus vieux et fatigué. Il affronte la maladie de son père en silence et aussi en coups de colère. Il se tape soir et matin la route Saint-Sauveur–Montréal, et les bouchons de circulation exacerbent le caractère devenu fragile. À l'hôpital Saint-Luc, les cinq enfants se relaient 24 heures sur 24, et maman Yvonne tient bon.

Un matin, papa Henri se met à parler. Mais à parler! Il soliloque pendant des heures sur la communication, en anglais ou en français, comme s'il s'adressait à un auditoire. Martine est témoin d'une envolée oratoire, tout comme Denys, maman Yvonne et les autres enfants. Je préfère rester à Saint-Sauveur. Le moment est assez troublant et je dois garder mon énergie pour jouer.

Je vois mon papa Henri une dernière fois, la veille de sa mort. À ce moment-là, il est entouré de tous ses enfants, et sa fille Lorraine lui caresse le front en lui parlant doucement, car papa Henri pousse des soupirs de douleur. Personne ne verse une larme, sauf moi la braillarde. On ne pleure pas dans la famille Bergeron. Du moins pas en public... Le lendemain matin, le 10 juillet 2000, papa Henri rend son dernier souffle.

Au salon funéraire, les zigounes sont inconsolables. Martine pleure son papy et, curieusement, quand je la vois pleurer, je ferme mes robinets. Je la prends dans mes bras et j'essaie de la consoler. Denys demeure stoïque et voit avec ses frères et sa sœur aux détails des funérailles. Maman Yvonne est une forteresse. Elle tient admirablement le coup, mais je la soupçonne de pleurer à son aise lorsqu'elle se retrouve seule chez elle. Les funérailles sont très émouvantes. Beaucoup d'artistes de la télévision et de la radio ont tenu à rendre un dernier hommage et défilent devant maman Yvonne sur le parvis de l'église Sainte-Madeleine d'Outremont.

Je dois monter sur scène quelques heures plus tard.

En entrant dans ma loge, des mots de sympathie de la part des comédiens s'alignent sur ma table de maquillage. J'ignore comment je trouve la force nécessaire pour ne pas m'écrouler, mais je réussis à sourire et je remercie chacun avant de monter sur scène. «*The show must go on!*» me souffle papa Henri, quelque part en coulisse.

Cher papa Henri! Quel bonheur de t'avoir connu. Toi, le Marchand de sable à la voix profonde et rassurante, toi qui m'as pris dans tes grands bras lorsque j'avais cinq ans, toi le bon et généreux papa. Comme tous ceux qui ont croisé mon chemin, tu gardes ta place dans mon cœur pour toujours.

Enfin chez nous!

Comme il fallait s'y attendre, notre maison promise pour le mois de juillet n'est pas terminée. Heureusement que nous avons loué à Saint-Sauveur jusqu'à la mi-septembre, sinon nous serions bien en peine. Cette période flottante, incertaine et assombrie par le décès de papa Henri, n'est pas très réjouissante. Nous passons un été en dents de scie. Lorsque Denys part très tôt le matin pour Montréal, je suis couchée et, lorsqu'il revient le soir, je suis sur scène. On avait raison de craindre, au fond, les perturbations du passage à l'an 2000. Les catastrophes se sont étalées tout au long de l'année! Denys ne le montre pas, mais il a perdu un gros morceau de sa vie. La bouchée est dure à avaler. Et cette maison qui n'en finit plus de finir! On ne s'y retrouve plus dans nos odeurs, nos meubles; notre train-train déraille, quoi. Y a de quoi devenir cinglés. Heureusement que notre amour est drôlement solide.

Enfin, le 18 septembre, nous pouvons emménager dans notre nouvelle demeure, quoique l'endroit soit encore en chantier et qu'on ne puisse atteindre la maison que sur des planches, faute de marches. Peu importe! On entre enfin chez nous!

Graduellement, nous nous retrouvons en déballant les caisses. Chaque bibelot, cadre, toile et bouquin nous ramènent à notre vie et à nos souvenirs. C'est réconfortant. J'installe ma Bobinette sur une étagère entourée des belles poupées de Martine et je referme la porte vitrée.

Bobinette aux prix Gémeaux

Cette mémorable année 2000, cousue de chagrins, d'inquiétudes et d'attentes, se termine sur une note plus réjouissante et inattendue. Pour la remise des prix Gémeaux en après-midi, diffusée sur RDI, à la demande des animateurs Sylvie Lussier et Pierre Poirier (auteurs, entre autres, du téléroman *4 et demi...*), on invite Bobinette à remettre les prix Gémeaux des émissions jeunesse. Un concept amusant est élaboré autour d'une partie du dernier décor de *Bobino* où le comédien Guy Jodoin (tiens, le même prénom) donne la réplique à Bobinette qui termine la prestation à coups de poire à eau: un incontournable classique du répertoire des farces et attrapes de la petite sœur de Bobino.

«Allô Christine? C'est Monique! Tu m'as fait pleurer, ma p'tite vlimeuse!

– Écoute Monique, tout ça était tellement inattendu. J'espère que je n'ai oublié personne...»

Monique Chabot, la femme de Guy Sanche, était à l'écoute de RDI pour la remise (hors d'ondes, quelle farce tout de même!) des prix Gémeaux. Je venais de vivre un moment inoubliable et unique dans ma carrière d'artiste de la télévision.

Après le numéro de Bobinette et de sa poire à eau, je dois être présentée au public. Je pense rester derrière le castelet et ne montrer que la tête, sourire et voilà tout. Mais le scénario se déroule d'une tout autre façon!

Les animateurs Sylvie Lussier et Pierre Poirier insistent pour que je les rejoigne devant le castelet et, par le fait même, devant la foule de producteurs, techniciens, comédiens, enfin la jungle artistique québécoise qui vient célébrer une fois l'an les productions télévisuelles de l'année.

Ce qui suit n'a pas été répété et encore moins planifié! Aussitôt que j'apparais, la foule crie en chœur des bravos et, dans un élan spontané, se lève tout en applaudissant. L'effet est bouleversant, et j'essaie de contenir des vagues de larmes qui embuent mes yeux. Je cherche des mots, des phrases, des noms et je prie intérieurement mon Guy-Guy afin qu'il puisse me porter secours. Il n'est sûrement pas très loin, car je laisse parler mon cœur et mes émotions naturellement et sans difficulté! Cette ovation des pairs est plus que grandiose, elle est magistrale! Elle résume l'admiration de plusieurs générations de tout-petits, devenus grands, pour le grand artiste qu'a été Guy Sanche et pour tous les autres qui ont travaillé aux petites perles des émissions de *Bobino*: l'auteur Michel Cailloux, les marionnettistes Paule Bayard et Gaétan Gladu, les réalisateurs, entre autres mon cher papa Marcel Laplante et Thérèse Dubhé, les assistantes comme Maryse Forget, les artisans comme Edmondo Chiodini, de même que tous les Camério, Télécino, Gustave et Tapageur de Radio-Canada qui sont passés dans la vie de l'émission ayant animé le petit écran tous les jours à 16 h, pendant 28 ans.

«Non, ma belle! Tu n'as oublié personne!

– Tu te rends compte, Monique? On fait un coup de chapeau melon à notre beau Guy, 12 ans après son départ. Il était
temps!»

Je regrette toutefois deux choses: mes parents, Martine et
Denys n'étaient pas dans la salle. Si j'avais su d'avance la
tournure des événements, j'aurais insisté pour que ma famille
puisse être à mes côtés afin de partager ce moment émouvant.
De plus, j'aurais choisi de porter des vêtements plus appropriés aux circonstances. Je me suis présentée cet après-midi-
là en jeans tout simplement, croyant rester cachée derrière le
castelet, comme je l'ai fait pendant 12 ans.

Chapitre 17

Comme le temps
a passé!

Même jour, même heure, l'an prochain

Nous roulons le cœur léger en direction de la chaleur et des palmiers de la Floride. Denys a longtemps souhaité faire ce périple hivernal en voiture. Prendre le temps de traverser les États-Unis, longer la côte est américaine, tout en épluchant lentement nos vêtements d'hiver. Nous quittons le Québec et sa froidure pour tâter du bâton de golf sur de vertes allées, sous un soleil radieux et chaud, *in Florida* pour les fêtes! Nous avons loué, avec un couple d'amis, Jocelyne et Claude Laliberté, une charmante maison à Fort Lauderdale. Au diable Ben Laden et les alertes terroristes!

Nous arrêtons un instant à New York, attirés comme tant d'autres touristes par Ground Zero. Nous garons la voiture à environ cinq rues d'où s'élevaient, avant le 11 septembre 2001, les tours jumelles du World Trade Center. Le ciel crache une pluie froide et drue. À mesure que nous avançons vers les barrières de sécurité, les traces du terrible impact apparaissent sous nos yeux. Les trottoirs sont impraticables, les coins de rue renfoncés, et les poteaux, tapissés de photos de disparus et de fleurs séchées maintenant trempées, ressemblent à des croix fantômes.

Une odeur indéfinissable mêlée au ciment mouillé, aux fumées épaisses qui sortent des égouts, envahit nos narines. Il est environ 17 h. Les bruits familiers de la ville se marient à l'artillerie des démolisseurs maintenant que nous sommes parvenus près du gouffre noir. Les édifices désertés depuis le 11 septembre encerclent Ground Zero comme des squelettes inondés d'une lumière intense, car on y travaille jour et nuit.

Nous sommes une vingtaine de personnes rassemblées en silence, les yeux fixant les buildings dont certains sont recouverts de grandes toiles grises comme des suaires. L'inimaginable est arrivé. Il a frappé très fort au cœur de la richesse américaine. Autour de cet immense cimetière à ciel ouvert, la vie continue malgré tout.

Nous rebroussons chemin, toujours en silence. Nous préférons sortir de Manhattan et trouver une chambre d'hôtel plus abordable au New Jersey.

Ce n'est qu'une fois attablés dans un petit restaurant près du motel que nous parlons de l'horrible catastrophe qui a bouleversé le monde entier.

«Tu te rends compte, Denys? On aurait pu être coincé dans le tunnel par une attaque terroriste!

– Ben oui! On serait mort ensemble!» répond Denys en riant.

Cré Denys!

Après trois jours de route, nous entrons dans l'État de la Floride. Le cellulaire de Denys sonne.

«Oui? Un instant... C'est pour toi.»

Je me demande bien qui peut m'appeler un 23 décembre sur le téléphone portable de Denys, en plus!

«Salut Christine! C'est Louise Matteau. Comment vas-tu?

– Je vais très bien. Je suis sur la route de la Floride. Comment as-tu eu le numéro de Denys?

– J'ai appelé à son bureau. Écoute, je fais la mise en scène de la pièce *Même jour, même heure, l'an prochain*, de Bernard Slade au Théâtre de l'Écluse, à Iberville. J'ai pensé à toi pour le rôle de Doris. Qu'en penses-tu?»

Ce que j'en pense? Tu parles! J'ai vu le film américain avec Alan Alda et Ellen Burstein. Une pièce à deux personnages, bien ficelée, qui traverse trois décennies. Un bijou de personnage!

«Envoie-moi le texte! On se reparle à mon retour!»

Décidément, l'année 2002 promet d'être mouvementée! Elle marque tour à tour notre 25e année de mariage le 29 avril, les noces d'or de mes parents le 26 juillet, et quelques jours plus tard, le 6 août, un autre 25e anniversaire de mariage, celui de ma sœur Francine et de son mari Serge Deslongchamps.

En 2002, on souligne également la création de la télévision d'État. Il y a 50 ans, Radio-Canada inaugurait le canal 2 à Montréal et, peu de temps après, Toronto emboîtait le pas. Henri Bergeron apparaissait pour la première fois en noir et blanc au petit écran le 6 septembre 1952. Malheureusement, comme papa Henri, plusieurs artisans de la première heure ne sont plus de ce monde pour fêter le 50e anniversaire de la naissance de la télévision au Canada.

Les émissions spéciales et les reprises se succèdent tout au long de l'année, nous rappelant les productions passées et oubliant aussi plusieurs émissions comme *L'heure du concert*, *Boubou dans le métro* et l'émission pour enfants *Es-tu d'accord?* réalisée par mon papa Marcel Laplante. Si vous visitez la Maison de Radio-Canada, rue René-Lévesque à Montréal, vous trouverez en marchant dans les corridors des expositions de costumes, de personnages, de photos d'archives représentant 50 ans de productions télévisuelles. Vous passerez devant une magnifique murale peinte par les enfants de l'École

Le Plateau, au cours d'une émission de papa, *Es-tu d'accord?* Près de la murale, vous pourrez admirer la belle Bobinette de votre enfance et le célèbre costume à la marguerite de Bobino, emprisonnés sous une cloche de verre.

Des plateaux en direct jusqu'à sa retraite, papa a réalisé de grandes émissions notamment pour l'ouverture de la Place des Arts, de nombreux tournages et le film d'ouverture d'Expo 67, *L'heure du concert*, diverses productions pour les sections musique, affaires publiques, variétés et jeunesse. Il a travaillé avec les plus grands artistes, tels que le maître de ballet et chorégraphe George Balanchine, la directrice des Grands Ballets canadiens Ludmilla Chiriaeff, l'animateur et ami Henri Bergeron, les chefs d'orchestre Zubin Metha et Jean Deslauriers, de même que le pianiste Glenn Gould, qui a quitté le plateau pendant une répétition et ne s'est remontré le bout des doigts que lorsque l'émission en direct est entrée en ondes! Papa a aussi donné la chance à des débutants, notamment sa propre fille.

Marcel Laplante fait partie des grands artisans de notre télévision d'État, au même titre que Jean Bissonnette, Florent Forget, Jean Faucher et plusieurs autres. Ils bossaient tous très fort pour mettre en ondes des spectacles de qualité, tout en ayant un immense respect pour les téléspectateurs.

Bien sûr, on se rappelle de Bobinette, et j'aurai l'occasion de la ressortir à plusieurs reprises cette année-là.

«Salut Louise! Je suis de retour de la Floride. Je suis partante pour la pièce! Mais qui va jouer Georges? T'as quelqu'un en tête?

– Oui. J'ai pensé à Jacques Salvail», répond Louise Matteau.

Silence. Je n'ai jamais vu Jacques Salvail jouer autre chose que du vaudeville chez Gilles Latulippe. J'ai une réserve, là.

«T'es sûre? *Même jour, même heure…* c'est loin du vaudeville.

– J'en mettrais ma main au feu, Jacques peut très bien jouer Georges.»

J'hésite même pendant les répétitions! Mais Jacques Salvail a du métier. Il bûche son personnage sans relâche. Louise Matteau et moi le talonnons de près. Les répétitions sont intenses, tant et si bien que Jacques trouve un Georges attachant, et nous formons un couple crédible. Un jour, avant une générale, Jacques se confie à moi.

«Écoute Christine, j'ai la tête pleine. Je ne sais plus quoi penser. En fait, je pense à tout ce que je ne dois pas faire. J'étouffe!

– Tu as travaillé très fort. Tu l'as, ton Georges! Maintenant je te donne un dernier conseil: oublie tout. Ne pense plus à rien. Amusons-nous avec Doris et Georges!»

Pour ma part, je me glisse dans le rôle de Doris comme dans une seconde peau! Jacques Salvail et moi avons un réel plaisir à jouer quatre fois par semaine le couple Doris et Georges. Nous récoltons un beau succès et les critiques sont élogieuses. Je passe un été formidable à l'Écluse, chez les Payette. Lise et Sylvie Payette (aucun lien avec l'auteure et sa fille) sont des productrices attentionnées. Après chaque représentation, nous nous retrouvons à bavarder en prenant un petit verre qu'elles offrent gentiment.

Je suis une comédienne comblée! Je joue! Je travaille! Je me sens privilégiée d'avoir du boulot. Plusieurs copines n'ont pas cette chance. Décidément, les temps sont durs, tant pour la scène que la télévision. Les rôles sont rarissimes.

Lorsque je joue au théâtre, j'adopte une routine béton! Je m'explique.

Je suis très superstitieuse, comme bon nombre d'acteurs et de sportifs. Aussitôt que je dépose un orteil au théâtre pour les enchaînements et la générale, je respecte à la lettre ma routine, jusqu'à la fin des représentations. J'essaie de stationner ma voiture toujours au même endroit, je salue les employés au guichet et j'entre dans ma loge. Je dépose dans l'ordre, mes clés, mes lunettes fumées, mon sac, toujours au même endroit. Je procède au maquillage et à la coiffure en refaisant les mêmes gestes. J'enfile mes costumes de scène, toujours dans le même ordre. En coulisse, c'est encore une routine cimentée que j'adopte jusqu'à la fin. Je dis également les mêmes phrases porte-bonheur avant d'entrer en scène. Par exemple, si à la générale j'ai dit «merde» en tapant du pied, il faudra que je refasse le même manège tous les soirs.

Bien sûr, j'évite de siffler en coulisse (la légende veut qu'un comédien soit mort en coulisse à cause d'un objet tombé des cintres). Je préfère chanter en sourdine. Si je respecte toutes ces bêtises routinières, je me sens en sécurité. Si j'y déroge, alors là, je cours à la catastrophe! Bien souvent, il peut arriver une erreur sur scène ou un trou de mémoire. C'est parfaitement idiot, mais je n'y peux rien! Françoise Faucher peut en témoigner. Pendant tout un été au Chantecler, j'ai frappé à la porte de sa loge de la même manière et elle me répondait toujours sur le même ton: «Entrez!»

Célébrations 2002!

Yvon Deschamps avait dit à la blague lors de la première émission des *Anges du matin*: «Vous continuez à travailler ensemble et vous vous séparez!» Eh bien, mon cher Yvon, nous travaillons encore ensemble à l'occasion et notre couple tient toujours après 25 ans. Je ne considère pas cela comme une prouesse. Je dirais plutôt que nous nous sommes apprivoisés tranquillement, nous nous sommes découverts honnêtement, et maintenant nous nous savourons chaque jour, dans les moments difficiles comme aux jours plus heureux. Notre amour est un grand champ de fleurs paisible où se dressent de magnifiques arbres solides.

Nous avons suivi un chemin peu commun. Nous avons été un couple entêté au fond. On a vécu ensemble avant le mariage et fait plusieurs voyages de noces bien avant d'avoir l'anneau au doigt. Ç'a été pénible parfois, surtout lorsque mes parents n'étaient pas d'accord avec notre façon de vivre. Mais ce fut notre choix et je ne le regrette absolument pas. Ce qui a sûrement aidé notre vie de couple depuis le début est que nous n'avons jamais eu de dispute majeure, au contraire! La seule fois où nous nous sommes querellés à propos du ménage (faut le faire!), Denys a claqué la porte (celle du sous-sol) et je me suis retrouvée le torchon à la main avec un seau d'eau savonneuse comme compagnon! Quinze minutes plus tard, Denys sortait du sous-sol en disant:

«Si j'avais claqué la bonne porte aussi!» en parlant de la porte d'entrée plutôt que celle du sous-sol.

Nous sommes tombés dans les bras l'un et l'autre en riant de soi et de l'autre aussi! Ce qu'on peut être idiots, parfois. On se chamaille pour des riens, des platitudes. C'est trop bête! Alors là, jamais plus! Nous préférons régler nos différends dans l'humour, en pilant sur notre orgueil. L'exercice est cent fois meilleur pour la santé du couple!

Nous célébrons notre 25e anniversaire de mariage dignement, avec une fête organisée par nos deux mamans complices, Cécile et Yvonne. Nous ne pouvons être plus heureux, entourés de nos familles et de deux couples d'amis (la salle de réception ne pouvant contenir plus de 30 personnes).

Je vous ai déjà parlé de l'importance des liens d'amitié dans ma vie. Je les cultive aussi précieusement que mes relations familiales. J'ai rencontré ces deux bonnes amies grâce à ma fille, Martine.

Cela remonte à l'époque du Collège Français, que Martine fréquente à Cartierville. Vous vous souvenez que Denys l'y conduit le matin et que je vais la chercher l'après-midi.

Nous sommes donc une dizaine de parents qui garent leurs voitures devant l'annexe nord du Collège Français. En attendant la sortie de nos enfants, je fais la connaissance de deux mamans, France L'Heureux et Ginette Bigras. Depuis maintenant plus de 18 ans, nous formons un joyeux trio qui se rencontre à l'occasion des anniversaires ou tout simplement pour le plaisir de se voir. Si je vous disais qu'à chaque rencontre on s'offre un petit cadeau, une babiole, une pensée! C'est devenu un incontournable!

L'instigatrice de ce manège amical est France l'Heureux. Cette fille est d'une générosité débordante et inépuisable. Elle est une dynamo branchée sur les 2 000 volts! C'est une centrale nucléaire à elle seule. Une fille au courant de tout. (Normal, elle est branchée!) Qui fait tout. Qui dépanne tout le monde. C'est mon «appeleuse» qui s'informe de son monde et qui envoie ponctuellement un p'tit mot d'amitié, de tendresse, d'espoir. Un grand cœur!

Pour sa part, Ginette Bigras est une infatigable curieuse, qui suit des cours d'espagnol, d'écriture et qui nous entraîne parfois dans sa soif d'apprendre. C'est ainsi que nous nous retrouvons à suivre les cours d'internautes de Poivre et Sel! Je la prends au mot lorsqu'elle formule le souhait d'apprendre le flamenco. Eh bien, madame, on tape du pied et des castagnettes dans un cours de Sonia Del Rio! Rien ne nous arrête! Olé! On suit même des cours de confection de gâteau-mousse!

La fête suivante est celle des noces d'or de mes parents. Après un an de travail pour préparer cette journée exceptionnelle, sans oublier le moindre détail, nous mettons enfin le pied à l'église Saint-Claude pour la célébration toute spéciale avec renouvellement des vœux de mariage et bénédiction des alliances, le tout en musique.

Yolande Parent, ma copine de Vincent-d'Indy, chante magnifiquement pour l'occasion avec un baryton, accompagnés à l'orgue par Yvan Godbout. La délicieuse table champêtre de la réception est une réussite. Mes parents sont rayonnants de bonheur! Surtout papa qui retrouve ses deux frères, Étienne et Jacques, et ses sœurs, Henriette, Gaby, Louise, Gisèle et Odette.

Nous bouclons les anniversaires de mariage par le 25e de ma sœur Francine, une semaine plus tard. Ouf! Ah non! J'oubliais! Quitte à fêter, on souligne le 10e anniversaire de mariage de mon frère Serge, en septembre.

Pendant les préparatifs du 50e anniversaire de mariage de nos parents, mes sœurs, mes frères et moi, nous nous retrouvons régulièrement en réunion de production pour veiller aux détails de la fête.

Je vous ai beaucoup parlé de ma sœur Francine mais peu de l'autre, Sylvie, et de mes frères, Serge et Stéphane. Mes souvenirs d'enfance se rattachent forcément à Francine plus qu'aux autres, étant donné notre petit écart d'âge. Mais en vieillissant, le nombre des années s'efface et je suis aussi près de ma petite sœur Sylvie et de mes frères que je peux l'être de Francine.

Autant Francine n'est pas l'«appeleuse» de la famille, autant Sylvie se fait aller sur le combiné pour prendre des nouvelles de son monde. C'est un grand cœur généreux, au sourire accroché en permanence sur son beau petit visage. Elle travaille comme secrétaire dentaire. Elle a uni sa destinée, il y a maintenant 20 ans, à son beau Roger Grondines, et ils ont une adorable fille prénommée Maude.

Mon frère Serge est le plus nature de la famille. Kayak, descente en canot, chasse, pêche et randonnée à vélo avec sa petite famille sont sa tasse de thé. Un grand gars calme et serein, qui travaille auprès des jeunes délinquants. Il a épousé un beau brin de fille de Granby, Sylvie Lussier. Ils ont deux magnifiques enfants, Andréanne et Samuel.

Mon frère Stéphane, le benjamin de la famille Laplante, c'est le cerveau de notre smala! Oh, mes frères! Ingénieur de mécanique diplômé, il travaille comme professeur de mathématiques au Collège de Montréal. Il a un beau garçon, Mathieu, aussi brillant que son père, avec des yeux bleus comme sa mère, Élise Provost. Stéphane vit maintenant avec Nathalie Gratton, qui a de son côté deux belles filles, Cynthia et Marianne, et de leur union est née la petite Élisabeth.

Enfin, ma sœur Francine est une infirmière extraordinaire qui voudrait refaire le monde des CLSC, des hôpitaux et redresser le virage ambulatoire qui a pris le tournant de la déroute! Je voterais demain matin pour qu'elle soit ministre de la Santé! Entre trois accouchements, Janie, Mariève et Milie, elle a décroché un bac en nursing puis une maîtrise. C'est la *superwoman* de la famille.

Pour terminer le portrait familial, mes parents vivent leur retraite dans la maison familiale qui nous a vu naître tour à tour. Je profite à chaque instant du bonheur de les avoir encore tous les deux. J'aime nos parties de Scrabble autour d'une tasse de thé quand papa, triomphant, dépose toutes ses lettres sur la surface de jeu. J'aime nos entretiens téléphoniques quotidiens, comme j'aime entendre maman me parler d'hier et de demain. J'aime notre course du samedi avec la grille des Mordus de *La Presse*. Qui de papa ou moi sera le premier à déjouer les pièges de Michel Hannequart? J'aime nos sorties au théâtre, au restaurant. J'aime nos petits soupers impromptus. J'aime écouter les histoires de leur enfance, des bonheurs et des chagrins qui ont tissé leurs vies.

Je suis entourée d'une famille extraordinaire et d'une belle-famille tout aussi merveilleuse. Malgré quelques départs vers le ciel, elles s'agrandissent de petits et d'arrière-petits-enfants, tous en bonne santé.

Nos filles seront, à leur tour, mamans un jour, comme l'aînée des petites-filles Bergeron, Rosalie.

Pour les fêtes de Noël 2002, nous sommes tous réunis chez maman Yvonne, ce qui représente tout un exploit! Des gamins de Rosalie jusqu'à l'arrière-grand-mère Bergeron, nous avons investi le salon familial pour la photo officielle. Ces réunions, ces anniversaires, ces petits soupers sont tellement précieux. Ils témoignent des liens qui nous unissent et qui font que la famille reste bien en vie.

Nom d'une Bobinette, dernière prise!

Les célébrations du 50e anniversaire de Radio-Canada commencent au cours de la saison estivale 2002 et se terminent le 31 décembre, par une émission spéciale animée par Jean-Pierre Ferland.

Pendant cette période farcie de souvenirs, ma Bobinette montrera le bout de son nez en faisant éclater son rire particulier de nombreuses fois sur différents plateaux de télé. L'émission *L'île de Gilidor*, animée par le comédien Gildor Roy, marque le coup de façon intelligente et assez touchante, merci!

Encore une fois, on ressort une partie du décor de *Bobino*. Un petit scénario est écrit pour l'occasion, mais cette fois le dialogue se déroule entre Bobinette et... Bobino! Pour la première fois depuis la disparition de l'émission, un comédien enfile le costume de Bobino. Le moment est unique et délicat.

«Mon beau Gildor! Tu es le premier comédien qui fait revivre le célèbre Bobino! Je suis émue, tu sais!»

Je me rends compte, trop tard, que les mots sont sortis de ma bouche juste avant l'enregistrement! Malgré la nervosité, Gildor Roy est plus qu'à la hauteur du personnage. Il interprète Bobino avec le plus grand respect.

Bobinette se pointe également dans l'éclatante émission *La fureur*. Là, mes enfants chéris, c'est la consécration! Pour souligner l'halloween et du coup les émissions jeunesse, les artistes invités enfilent les costumes de Sol, Fanfreluche, Monsieur Surprise, Picotine, Piccolo. Ma Bobinette se balance au bout de mon bras en rythme sur la musique éclatée, coutumière de *La fureur*. En prime, je retrouve ma belle Véronique Cloutier et son papa Guy, une équipe dynamique, et aussi Louise Matteau, qui prête sa voix à la petite souris dans la série *Nic et Pic*. Un grand bonheur! Chaque fois que je retrouve ma Bobinette, une flopée d'émotions et de souvenirs remonte à la surface. Y a rien à faire!

Pour boucler le cadeau d'anniversaire et par le fait même l'année 2002, on diffuse la biographie de Guy Sanche.

Au mois de mars, je me pointe devant la caméra pour parler de celui avec qui j'ai travaillé pendant 12 ans. Défileront devant Camério plusieurs personnes qui ont connu l'acteur, le mari, le papa, le copain, le beau fou qu'a été Guy Sanche.

Encore une fois, j'ouvre les écoutilles, car il pleut des émotions à la tonne!

Je vous le jure, on aurait dit que mon Guy-Guy était assis tout près de moi pendant le tournage! Je ne serai pas la seule d'ailleurs qui ressentira l'effet Sanche! Sacré Guy, va! Quel bel oiseau tu as été!

En terminant au sujet de ma Bobinette, je m'en voudrais de ne pas vous raconter deux charmantes anecdotes.

La première se déroule pendant un enregistrement de *Bobino*. Un groupe de demi-voyants et d'enfants aveugles obtient le privilège d'assister à l'émission. Avertis d'être sages comme des images de la Sainte Vierge, on n'entend pas une mouche voler. Les mômes écoutent leurs personnages préférés en imaginant mille images.

Après la demi-heure, les enfants s'avancent vers le castelet pour rencontrer Bobino et Bobinette. L'un d'entre eux me demande:

«Bobinette, s'il te plaît, arrose-moi!»

Je demande habilement au machiniste Jean-Marie Blier de me remplir la poire à eau. Et sans hésiter, j'asperge l'enfant copieusement! Vous décrire la joie immense que cet enfant aveugle a ressenti en recevant la douche donnée par sa Bobinette! Je l'entends encore me dire en riant:

«Merci Bobinette! Merci!» en essuyant son visage de ses mains.

Et en sortant du studio, il crie sa joie une dernière fois:

«J'ai été arrosé avec la poire à eau de Bobinette!»

L'autre anecdote se passe au restaurant de Guy et Dodo Morali dans le centre-ville de Montréal, dans les années 80. L'éditeur Christian Lefort, ami de Gilbert Bécaud, organise un souper avec le chanteur français et quelques personnes, dont mon mari Denys Bergeron, alors directeur de la boîte Trans-Canada qui s'occupe de la distribution des disques du chanteur, et moi-même.

Je me retrouve donc attablée devant le célèbre musicien qui a composé tant de magnifiques chansons et j'avoue que je suis pas mal impressionnée, merci!

L'homme est adorable et souriant, et demande constamment tout au long du repas:

«Du beurre! S'il vous plaît, du beurre!»

Si Gilbert Bécaud chante *L'important c'est la rose*, au cours de ce repas, l'important sera plutôt le pain et surtout le beurre!

Bien sûr, nous levons notre verre à la santé de celui qui électrise son auditoire depuis toujours, et c'est à ce moment-là que Gilbert Bécaud me demande tout de go: «Allez Christine! Fais-moi Bobinette!»

Là, mes petites chéries d'amour, je suis pétrifiée par Monsieur 100 000 volts lui-même!

Quelle surprise! Je suis sidérée et sans voix. Le grand Gilbert Bécaud me demande de lui faire... Bobinette! Ça alors! Euh, je veux dire, nom d'une Bobinette!

Je reprends mes esprits et ma voix de Bobinette et je réponds: «Bonsoir Gilbert! Contente de vous voir! Nom d'une Bobinette! Hi hi hi hi!»

Toute la table éclate de rire, Gilbert Bécaud aussi!

Épilogue

Pour continuer au sujet des anniversaires importants, disons que 2003 est également une année de célébrations. Elle marque mes 30 ans dans le métier et, par le fait même, ma rencontre avec mon mari, Denys Bergeron. Elle souligne ma 50ᵉ année de vie et la publication de ce bouquin qui en résume une bonne partie. Je retourne aussi au Théâtre de l'Écluse à Iberville tout l'été, dans la même pièce qu'en 2002, *Même jour, même heure, l'an prochain*, cette fois aux côtés du comédien Denis Trudel.

Mettre le pied dans la cinquantaine ne me rebute pas, au contraire. J'ai bien l'intention d'en profiter au maximum, en me baignant d'amour, d'amitié, de tendresse, de folies aussi, tout en m'éloignant de la bêtise, des indésirables, des sans-cœur.

Trente ans de métier, c'est peu. Le travail d'acteur est un éternel recommencement. C'est toujours un retour à la case départ, mais avec un bagage plus étoffé. Je rêve de travailler avec des gens que j'aime et qui aiment.

Récemment, une copine me disait la chance que j'avais d'avoir rencontré un bon gars comme Denys.

Oui, copine, j'ai gagné le gros lot, il y a 30 ans. J'ai investi chaque année et en retour je me gave de ce grand amour qu'on se donne en échange. Oui, copine, j'aime, je suis aimée, et c'est merveilleux!

Je n'oublie pas ma fille, Martine, qui célèbre ses 24 ans en 2003. Denys et moi sommes très fiers de notre belle zigoune! En plus de son travail pour une compagnie informatique, elle poursuit des études universitaires. Elle est aussi une artiste peintre très originale qui expose régulièrement ses œuvres. Martine partage sa vie avec un beau grand jeune homme, ingénieur électricien, Owen MacDonald. Dans ses veines coule la sagesse orientale de sa maman chinoise et la force de caractère inébranlable de son papa écossais.

Nous sommes très près de notre «simili-gendre». Cette expression appartient à la comédienne Françoise Faucher. Elle surnommait ainsi son futur gendre jusqu'à ce que le mariage officialise son union avec sa fille Sophie.

Un jour, je consulte une astrologue qui me dit: «Ta fille est une vieille âme!»

Elle a vu juste. Martine devient souvent ma mère. J'essaie de l'écouter, car une sagesse profonde l'habite. Elle, l'artiste et la cérébrale, la douce et la tendre, Martine l'intrépide qui part, sac au dos, seule en Thaïlande. Coquine, va! Quel grand bonheur tu es!

Table des matières

Imprimé au Canada